2nd Edition

CHINESE MADE EASY

1

Textbook

Simplified Characters Version

轻松学汉语（课本）

Yamin Ma
Xinying Li

Joint Publishing (H.K.) Co., Ltd.
三联书店（香港）有限公司

CHINESE MADE EASY

Chinese Made Easy *(Textbook 1)*

Yamin Ma, Xinying Li

Editor	Chen Cuiling, Luo Fang
Art design	Arthur Y. Wang, Yamin Ma, Xinying Li
Cover design	Arthur Y. Wang, Amanda Wu
Graphic design	Amanda Wu, Zhong Wenjun
Typeset	Zhou Min, Lin Minxia

Published by
JOINT PUBLISHING (H.K.) CO., LTD.
20/F., North Point Industrial Building,
499 King's Road, North Point, Hong Kong

Distributed in Hong Kong by
SUP PUBLISHING LOGISTICS (HK) LTD.
3/F., 36 Ting Lai Road, Tai Po, N.T., Hong Kong

First published July 2001
Second edition, first impression, July 2006
Second edition, twenty-third impression, April 2016

You can contact us via the following:
Tel: (852) 2523 0105, (86) 755 8343 2532
Fax: (852) 2845 5249, (86) 755 8343 2527
Email: publish@jointpublishing.com
http://www.jointpublishing.com/

轻松学汉语 *(课本一)*

编　　著　马亚敏 李欣颖

责任编辑	陈翠玲 罗　芳
美术策划	王　宇 马亚敏 李欣颖
封面设计	王　宇 吴冠曼
版式设计	吴冠曼 钟文君
排　　版	周　敏 林敏霞

出　　版	三联书店（香港）有限公司 香港北角英皇道499号北角工业大厦20楼
香港发行	香港联合书刊物流有限公司 香港新界大埔汀丽路36号3字楼
印　　刷	中华商务彩色印刷有限公司 香港新界大埔汀丽路36号14字楼
版　　次	2001年7月香港第一版第一次印刷 2006年7月香港第二版第一次印刷 2016年4月香港第二版第二十三次印刷
规　　格	大16开(210 x 280mm) 136面
国际书号	ISBN 978-962-04-2584-4

Acknowledgments

We are grateful to all the following people who have helped us to put the books into publication:

- Our publisher, 李昕, 陈翠玲 who trusted our ability and expertise in the field of Chinese teaching and learning, and supported us during the period of publication
- Professor Zhang Pengpeng who inspired us with his unique and stimulating insight into a possible new approach to Chinese language teaching and learning
- Mrs. Marion John who edited our English and has been a great support in our endeavour to write our own textbooks
- Arthur Y. Wang, 万琼，高燕，张慧华，于霆，郭奇，Annie Wang for their creativity, skill and hard work in the design of art pieces. Without Arthor Y. Wang's guidance and artistic insight, the books would not have been so beautiful and attractive
- Arthur Y. Wang and Tony Zhang who assisted the authors with the sound recording
- Our family members who have always supported and encouraged us to pursue our research and work on this series. Without their continual and generous support, we would not have had the energy and time to accomplish this project

INTRODUCTION

- The series of *Chinese Made Easy* consists of 5 books, designed to emphasize the development of communication skills in listening, speaking, reading and writing. The primary goal of this series is to help the learners use Chinese to exchange information and to communicate their ideas. The unique characteristic of this series is the use of the Communicative Approach adopted in teaching Chinese as a foreign language. This approach also takes into account the differences between Chinese and Romance languages, in that the written characters in Chinese are independent of their pronunciation.

- The whole series is a two-level course: level 1 – Book 1, 2 and 3; and level 2 – Book 4 and 5. All the textbooks are in colour and the accompanying workbooks and teacher's books are in black and white.

COURSE DESIGN

- The textbook covers texts and grammar with particular emphasis on listening and speaking. The style of texts varies according to the content. Grammatical rules are explained in note form, followed by practice exercises. There are several listening and speaking exercises for each lesson.

- The textbook plays an important role in helping students develop oral communication skills through oral tasks, such as dialogues, questions and answers, interviews, surveys, oral presentations, etc. At the same time, the teaching of characters and character formation are also incorporated into the lessons. Vocabulary in earlier books will appear again in later books to reinforce memory.

- The workbook contains extensive reading materials and varied exercises to support the textbook.

- The teacher's book provides keys to the exercises in both textbook and workbook, and it also gives suggestions, such as how to make a good use of the exercises and activities in order to maximize the learning. In the teacher's book, there is a set of tests for each unit, testing four language skills: listening, speaking, reading and writing.

Level 1:

- Book 1 includes approximately 250 new characters, and Book 2 and Book 3 contain approximately 300 new characters each. There are 5 units in each textbook, and 3-5 lessons in each unit. Each lesson introduces 20-25 new characters.

- In order to establish a solid foundation for character learning, the primary focus for Book 1 is the teaching of radicals (unit 1), character writing and character formation. Simple characters are introduced through short rhymes in unit 2 to unit 5.

- Book 2 and 3 continue the development of communication skills, as well as introducing China, its culture and customs through three pieces of simple texts in each unit.

- To ensure a smooth transition, some pinyin is removed in Book 2 and a lesser amount of pinyin in later books. We believe that the students at this stage still need the support of pinyin when doing oral practice.

Level 2:

- Book 4 and 5 each includes approximately 350 new characters. There are 4 units in the textbook and 3 lessons in each unit. Each lesson introduces about 30 new characters.

- The topics covered in Book 4 and 5 are contemporary in nature, and are interesting and relevant to the students' experience.

- The listening and speaking exercises in Book 4 and 5 take various forms, and are carefully designed to reflect the real Chinese speaking world. The students are provided with various speaking opportunities to use the language in real situations.

- Reading texts in various formats and of graded difficulty levels are provided in the workbook, in order to reinforce the learning of vocabulary, grammar and sentence structure.

- Dictionary skills are taught in Book 4, as we believe that the students at this stage should be able to use the dictionary to extend their learning skills and become independent learners of Chinese.

- Pinyin is only present in vocabulary list in Book 4 and 5. We believe that the students at this stage are able to pronounce the characters without the support of pinyin.

- Writing skills are reinforced in Book 4 and 5. The writing task usually follows a reading text, so that the text will serve as a model for the students' own reproduction of the language.

- Extensive reading materials with an international flavour is included in the workbook. Students are exposed to Chinese language, culture and traditions through authentic texts.

COURSE LENGTH

- Books 1, 2 and 3 each covers approximately 100 hours of class time, and Books 4 and 5 might need more time, depending on how the book is used and the ability of students. Workbooks contain extensive exercises for both class and independent learning. The five books are continuous and ongoing, so they can be taught within any time span.

HOW TO USE THIS BOOK

Here are a few suggestions from the authors:

- The teacher should emphasize the importance of helping the students to develop both listening and speaking skills, whilst teaching radicals as the foundation for character writing. The students should be able to recognize and write from memory all the 54 radicals in unit 1. Students are expected to recognize all the characters in the vocabulary list, whilst trying their best to memorize the characters from the short rhymes in unit 2 to unit 5.

- The teacher should go over the phonetics exercises in the textbook with the students. The authors believe that with sufficient input, the students will gradually be able to pick up the pronunciation and intonation naturally. Accurate pronunciation is not the main focus of this course; rather the students should learn to use the language functionally for communication purposes.

- The teacher should demonstrate the stroke order of each character to total beginners. The authors found character writing to be a fun and interesting activity for youngsters.

- There is a wide variety of exercises in the workbook, for both classwork and homework. At the end of each unit, there is a section that contains a vocabulary summary, a revision section and a unit test paper. Teachers are free to add any supplementary materials, or skip certain exercises, depending on their students' level.

- The text for each lesson, the listening comprehension and rhymes are on the CD attached to the textbook. The symbol indicates the track number. For example, CD1 T1 is track one.

Yamin Ma
June, 2006 Hong Kong

CONTENTS 目录

第三单元　国家、语言

第四单元　工作

第五单元　上学、上班

第一单元　你 好

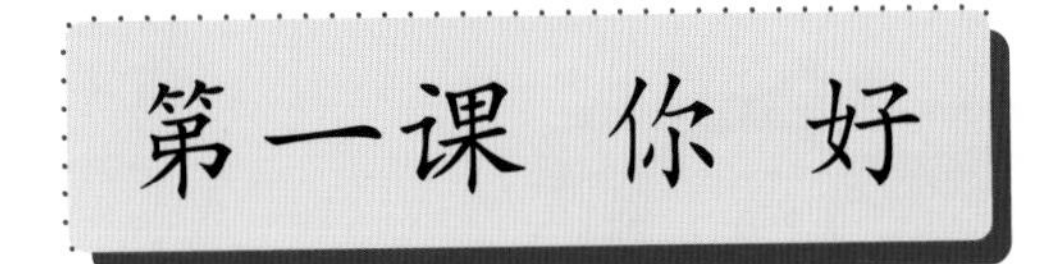

New Words

1. 你 (nǐ) you
2. 好 (hǎo) good; well　你好 (nǐ hǎo) hello
3. 您 (nín) you (respectfully)
   您好 (nín hǎo) hello
4. 早 (zǎo) early; morning
   你早 (nǐ zǎo) good morning
   您早 (nín zǎo) good morning (respectfully)
5. 再 (zài) again
6. 见(見) (jiàn) see　再见 (zài jiàn) good-bye

1 Read aloud.

(1) 你 nǐ
(2) 早 zǎo
(3) 再见 zàijiàn
(4) 好 hǎo
(5) 您 nín

2 Match the Chinese with the English.

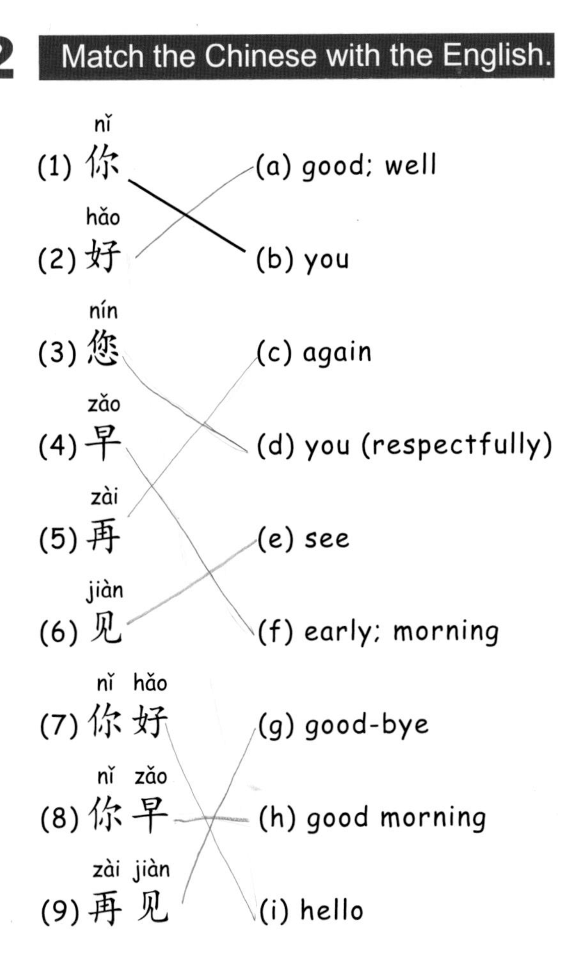

(1) 你 (nǐ)	(a) good; well
(2) 好 (hǎo)	(b) you
(3) 您 (nín)	(c) again
(4) 早 (zǎo)	(d) you (respectfully)
(5) 再 (zài)	(e) see
(6) 见 (jiàn)	(f) early; morning
(7) 你好 (nǐ hǎo)	(g) good-bye
(8) 你早 (nǐ zǎo)	(h) good morning
(9) 再见 (zài jiàn)	(i) hello

3 Fill in the bubbles with the captions in the box.

4 Read aloud.

VOWELS:

a	o	e
i	u	ü

(1)	dā	dá	dǎ	dà
(2)	mō	mó	mǒ	mò
(3)	gē	gé	gě	gè
(4)	cī	cí	cǐ	cì
(5)	fū	fú	fǔ	fù
(6)	/	lǘ	lǚ	lǜ

偏旁部首（一）

1
𠂉 sleeping person
每
2
亻 standing person
你
3
人 stretching person
今
4
彳 two people
很
5
父 father
爸
6
王 king
现
7
土 soil
地
8
士 scholar
喜
9
山 mountain
岁

第二课　你好吗

CD T2

1
nǐ hǎo ma
你好吗？
bú cuò
不错。
2
nǐ hǎo ma
你好吗？
hái kě yǐ
还可以。
3
nǐ hǎo ma
你好吗？
wǒ hěn hǎo xiè xie
我很好，谢谢。
nǐ ne
你呢？
wǒ yě hěn hǎo
我也很好。

New Words

1. 吗（嗎）ma particle
   你好吗 nǐ hǎo ma how are you
2. 不 bù not; no
3. 错（錯）cuò mistake; bad
   不错 bú cuò not bad
4. 还（還）hái also; fairly
5. 可 kě can; may
6. 以 yǐ use; take　可以 kě yǐ can; pretty good
   还可以 hái kě yǐ OK; pretty good
7. 我 wǒ I; me
8. 很 hěn very; quite
   很好 hěn hǎo very good; very well
9. 谢（謝）xiè thank
   谢谢 xiè xie thanks
10. 呢 ne particle
    你呢 nǐ ne how about you
11. 也 yě also; as well

1 Read aloud.

(1) 你好 nǐhǎo

(2) 再见 zàijiàn

(3) 你早 nǐzǎo

(4) 您早 nínzǎo

(5) 不错 búcuò

(6) 还可以 hái kěyǐ

(7) 谢谢 xièxie

(8) 你呢 nǐ ne

(9) 我也很好 wǒ yě hěn hǎo

(10) 你好吗 nǐ hǎo ma

2 Match the Chinese with the English.

(1) 我 wǒ	(a) very well
(2) 很好 hěn hǎo	(b) I; me
(3) 你好吗？nǐ hǎo ma	(c) not bad
(4) 不错 bú cuò	(d) How are you?
(5) 还可以 hái kě yǐ	(e) How about you?
(6) 也 yě	(f) hello
(7) 你呢？nǐ ne	(g) thanks
(8) 您好 nín hǎo	(h) good-bye
(9) 谢谢 xiè xie	(i) also
(10) 再见 zài jiàn	(j) pretty good

3 Translation.

4 Good morning! Good morning!

4 Match the words in column A with the ones in column B.

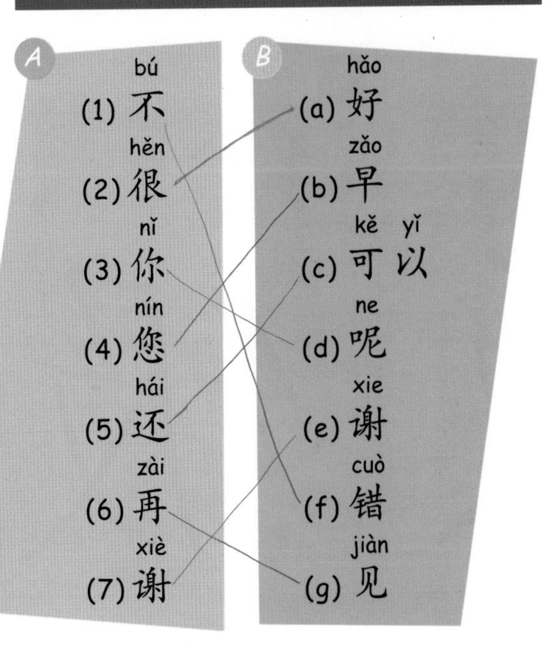

A	B
(1) 不 bú	(a) 好 hǎo
(2) 很 hěn	(b) 早 zǎo
(3) 你 nǐ	(c) 可以 kě yǐ
(4) 您 nín	(d) 呢 ne
(5) 还 hái	(e) 谢 xie
(6) 再 zài	(f) 错 cuò
(7) 谢 xiè	(g) 见 jiàn

5 Read aloud.

CONSONANTS (1):

b p m f
d t n l

(1)	bā	bá	bǎ	bà
(2)	pō	pó	pǒ	pò
(3)	mī	mí	mǐ	mì
(4)	fū	fú	fǔ	fù
(5)	dā	dá	dǎ	dà
(6)	tī	tí	tǐ	tì
(7)	nā	ná	nǎ	nà
(8)	lū	lú	lǔ	lù

偏旁部首（二）
1
忄 feeling
快
2
心 heart
您
3
口 mouth
叫
4
⺷ sheep
美
5
⻊ foot
路
6
讠 speech
说
7
钅 metal
错
8
饣 food
饭
9
纟 silk
级

第三课　你是我的好朋友

CD T3

yī èr sān，sān èr yī，
一二三，三二一，

yī èr sān sì wǔ liù qī。
一二三四五六七。

bā jiǔ shí，shí bā jiǔ，
八九十，十八九，

nǐ shì wǒ de hǎo péng you。
你是我的好朋友。

New Words

1. 是 (shì) be
2. 的 (de) of; 's　我的 (wǒ de) my; mine
3. 朋 (péng) friend
4. 友 (yǒu) friend　朋友 (péng you) friend
5. 一 (yī) one
6. 二 (èr) two
7. 三 (sān) three
8. 四 (sì) four
9. 五 (wǔ) five
10. 六 (liù) six
11. 七 (qī) seven
12. 八 (bā) eight
13. 九 (jiǔ) nine
14. 十 (shí) ten

1 CD T4 Listen to the recording. Circle the number you hear.

(1) (a) 七　(b) 八　(c) 九

(2) (a) 二　(b) 三　(c) 五

(3) (a) 六　(b) 四　(c) 三

(4) (a) 二　(b) 九　(c) 十

(5) (a) 三　(b) 一　(c) 四

(6) (a) 四　(b) 七　(c) 二

2 Read aloud.

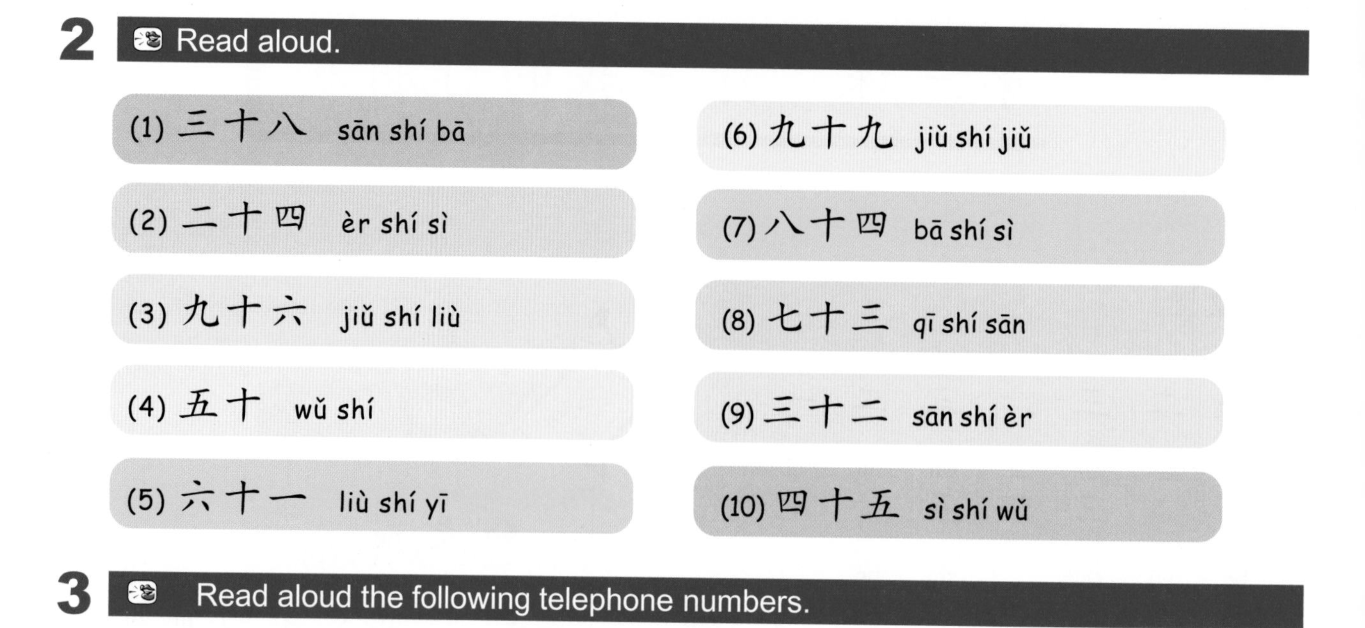

(1) 三十八 sān shí bā

(2) 二十四 èr shí sì

(3) 九十六 jiǔ shí liù

(4) 五十 wǔ shí

(5) 六十一 liù shí yī

(6) 九十九 jiǔ shí jiǔ

(7) 八十四 bā shí sì

(8) 七十三 qī shí sān

(9) 三十二 sān shí èr

(10) 四十五 sì shí wǔ

3 Read aloud the following telephone numbers.

Mary	2674 3815
John	9433 1006
David	5426 7180
Tom	5647 2290
Ann	6321 0054

NOTE

1. " 0 " is pronounced as "líng ".
2. 11 十一 (shí yī)　19 十九 (shí jiǔ)　20 二十 (èr shí)
   25 二十五 (èr shí wǔ)　58 五十八 (wǔ shí bā)　99 九十九 (jiǔ shí jiǔ)
3. " 1 " is read as " yāo " in telephone numbers.
   二六七三 (èr liù qī sān)　一九四一 (yāo jiǔ sì yāo)

4 Tongue Twisters.

sì shì sì
四是四，

shí shì shí
十是十。

shí sì shì shí sì
十四是十四，

sì shí shì sì shí
四十是四十。

5 Read aloud the numbers in Chinese.

What is your favourite number?

My favourite number is 96017485994372.

6 What are they saying to each other?

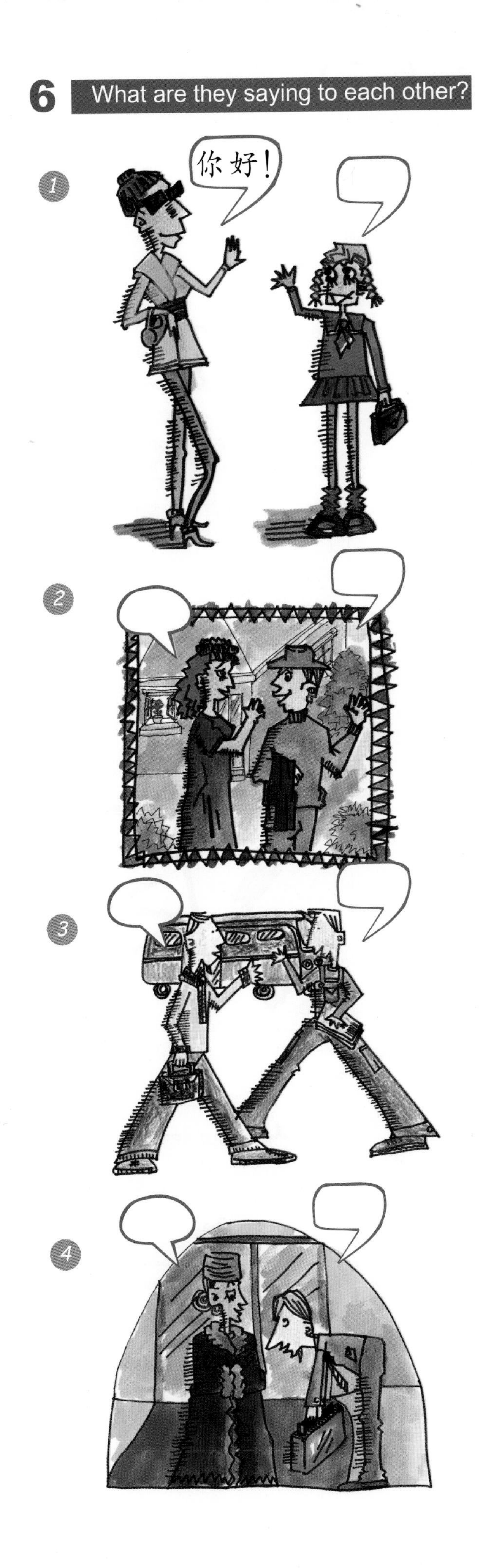

7 Translation.

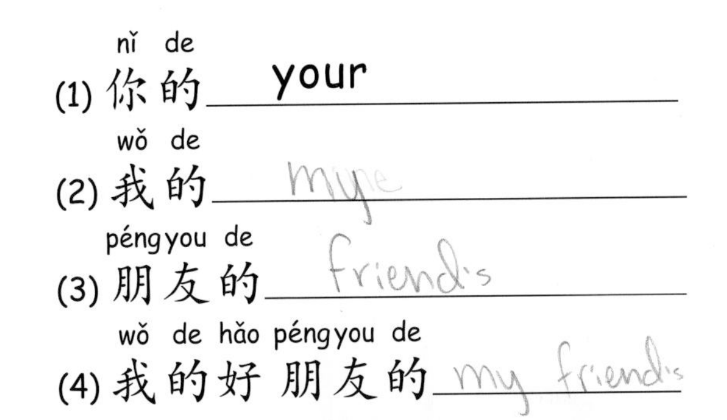

(1) 你的 (nǐ de) your

(2) 我的 (wǒ de) my

(3) 朋友的 (péngyou de) friend's

(4) 我的好朋友的 (wǒ de hǎo péngyou de) my friend's

8 Read aloud.

CONSONANTS (2):

g k h

(1)	gē	gé	gě	gè
(2)	kē	ké	kě	kè
(3)	hū	hú	hǔ	hù

9 Work out how old the child is. Write his age in Chinese.

When my father was 35, I was 6. Now he is twice as old as I am. How old am I?

AGE: 31

偏旁部首（三）

1
日 sun
明
2
白 white
的
3
目 eye
看
4
月 flesh
服
5
田 field
男
6
氵 water
海
7
灬 fire
点
8
雨 rain
零
9
夕 sunset
名

第四课　今天是几月几号

CD T5

1

2001年10月 8 星期一

jīn tiān shì jǐ yuè jǐ hào
A: 今天是几月几号？

jīn tiān shì shí yuè bā hào
B: 今天是十月八号。

jīn tiān xīng qī jǐ
A: 今天星期几？

jīn tiān xīng qī yī
B: 今天星期一。

2

2001年10月 7 星期日

zuó tiān shì jǐ yuè jǐ hào
A: 昨天是几月几号？

zuó tiān shì shí yuè qī hào
B: 昨天是十月七号。

zuó tiān xīng qī jǐ
A: 昨天星期几？

zuó tiān xīng qī rì
B: 昨天星期日。

3

míng tiān jǐ hào
A: 明天几号？

jiǔ hào
B: 九号。

xīng qī jǐ
A: 星期几？

xīng qī èr
B: 星期二。

2001年10月 9 星期二

New Words

1. jīn 今 today; now
2. tiān 天 sky; day　jīn tiān 今天 today
3. jǐ 几（幾）how many
4. yuè 月 the moon; month
   jǐ yuè 几月 which month
   shí yuè 十月 October
5. hào 号（號）number; date
   jǐ hào 几号 what date　bā hào 八号 the 8th
6. xīng 星 star
7. qī 期 a period of time　xīng qī 星期 week
   xīng qī yī 星期一 Monday
   xīng qī jǐ 星期几 what day of the week
8. zuó 昨 yesterday　zuó tiān 昨天 yesterday
9. rì 日 sun; day
   xīng qī rì tiān 星期日／天 Sunday
10. míng 明 bright; clear　míngtiān 明天 tomorrow

1 Read aloud.

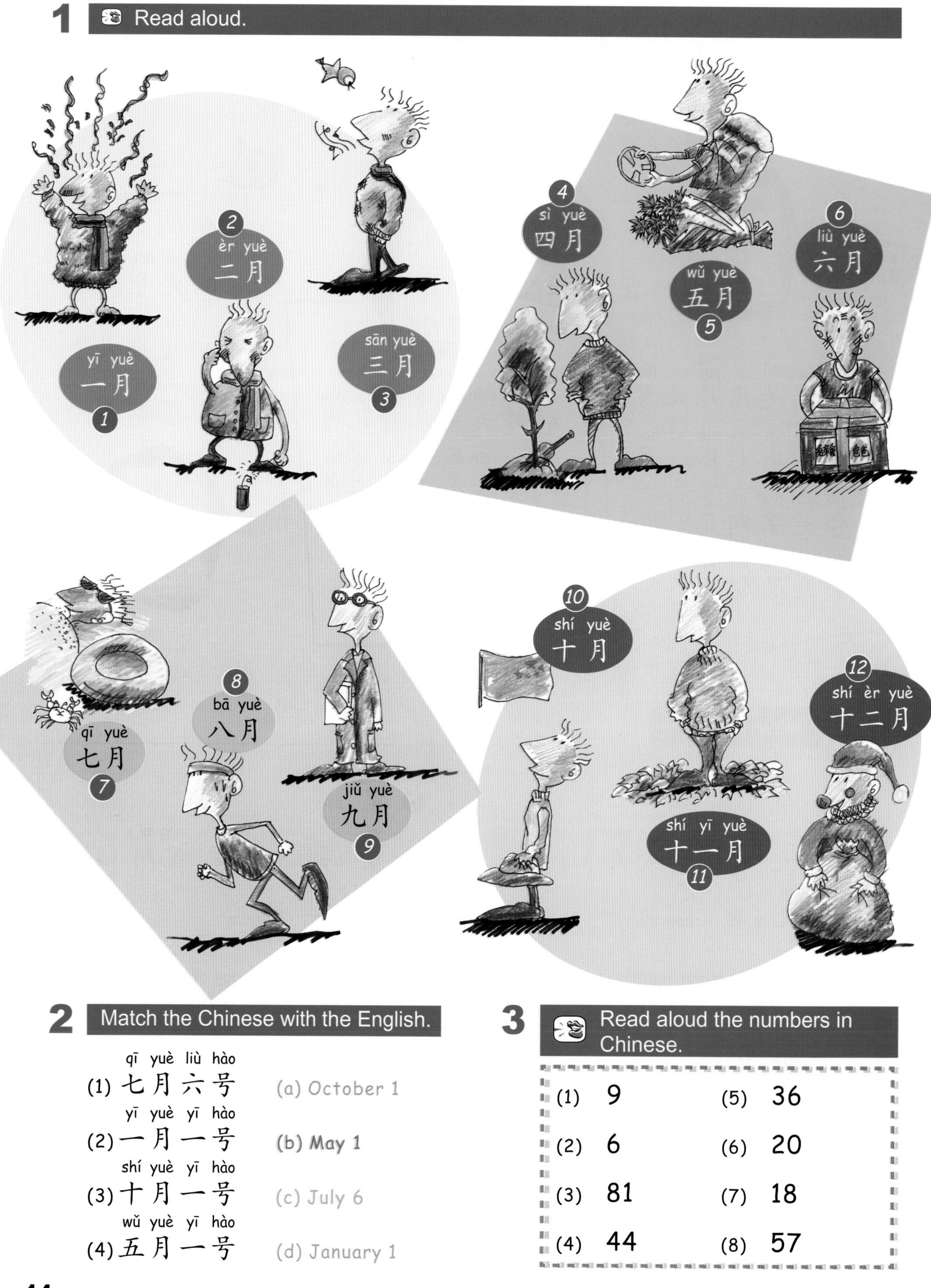

2 Match the Chinese with the English.

(1) 七月六号 (qī yuè liù hào)	(a) October 1
(2) 一月一号 (yī yuè yī hào)	(b) May 1
(3) 十月一号 (shí yuè yī hào)	(c) July 6
(4) 五月一号 (wǔ yuè yī hào)	(d) January 1

3 Read aloud the numbers in Chinese.

(1)	9	(5)	36
(2)	6	(6)	20
(3)	81	(7)	18
(4)	44	(8)	57

4 Read aloud.

5 Match the Chinese with the English.

(1) 星期六 (xīng qī liù)	(a) Monday
(2) 星期四 (xīng qī sì)	(b) Saturday
(3) 星期一 (xīng qī yī)	(c) Tuesday
(4) 星期日 (xīng qī rì)	(d) Sunday
(5) 星期二 (xīng qī èr)	(e) Friday
(6) 星期五 (xīng qī wǔ)	(f) Thursday

6 Read aloud.

CONSONANTS (3):

j q x

(1)	jī	jí	jǐ	jì
(2)	qī	qí	qǐ	qì
(3)	xī	xí	xǐ	xì

7 Match the Chinese with the English.

(1) 十一月 (shí yī yuè)	(a) October
(2) 九月 (jiǔ yuè)	(b) December
(3) 一月 (yī yuè)	(c) August
(4) 八月 (bā yuè)	(d) November
(5) 五月 (wǔ yuè)	(e) March
(6) 四月 (sì yuè)	(f) July
(7) 二月 (èr yuè)	(g) January
(8) 七月 (qī yuè)	(h) September
(9) 十二月 (shí èr yuè)	(i) February
(10) 六月 (liù yuè)	(j) April
(11) 三月 (sān yuè)	(k) June
(12) 十月 (shí yuè)	(l) May

8 Finish the dialogue in Chinese.

八月 August

星期日	星期一	星期二	星期三	星期四	星期五	星期六
	今天		1	2	3	4
5	6	7	8	9	10	11
12	13	14	15	16	17	18
19	20	21	22	23	24	25
26	27	28	29	30	31	

jīn tiān shì jǐ yuè jǐ hào
A: 今天是几月几号?

B: 今天是八月十六号。

jīn tiān xīng qī jǐ
A: 今天星期几?

B: ____________。

zuó tiān shì jǐ yuè jǐ hào
A: 昨天是几月几号?

B: ____________。

míng tiān xīng qī jǐ
A: 明天星期几?

B: ____________。

9 Say the dates in Chinese.

(1) October 1 十月一号

(2) December 25 ____________

(3) July 19 ____________

(4) January 1 ____________

(5) May 10 ____________

10 Answer the following questions.

(1) jīn tiān shì jǐ yuè jǐ hào
今天是几月几号?
xīng qī jǐ
星期几?

(2) zuó tiān shì jǐ yuè jǐ hào
昨天是几月几号?
xīng qī jǐ
星期几?

(3) míng tiān shì jǐ yuè jǐ hào
明天是几月几号?
xīng qī jǐ
星期几?

偏旁部首（四）

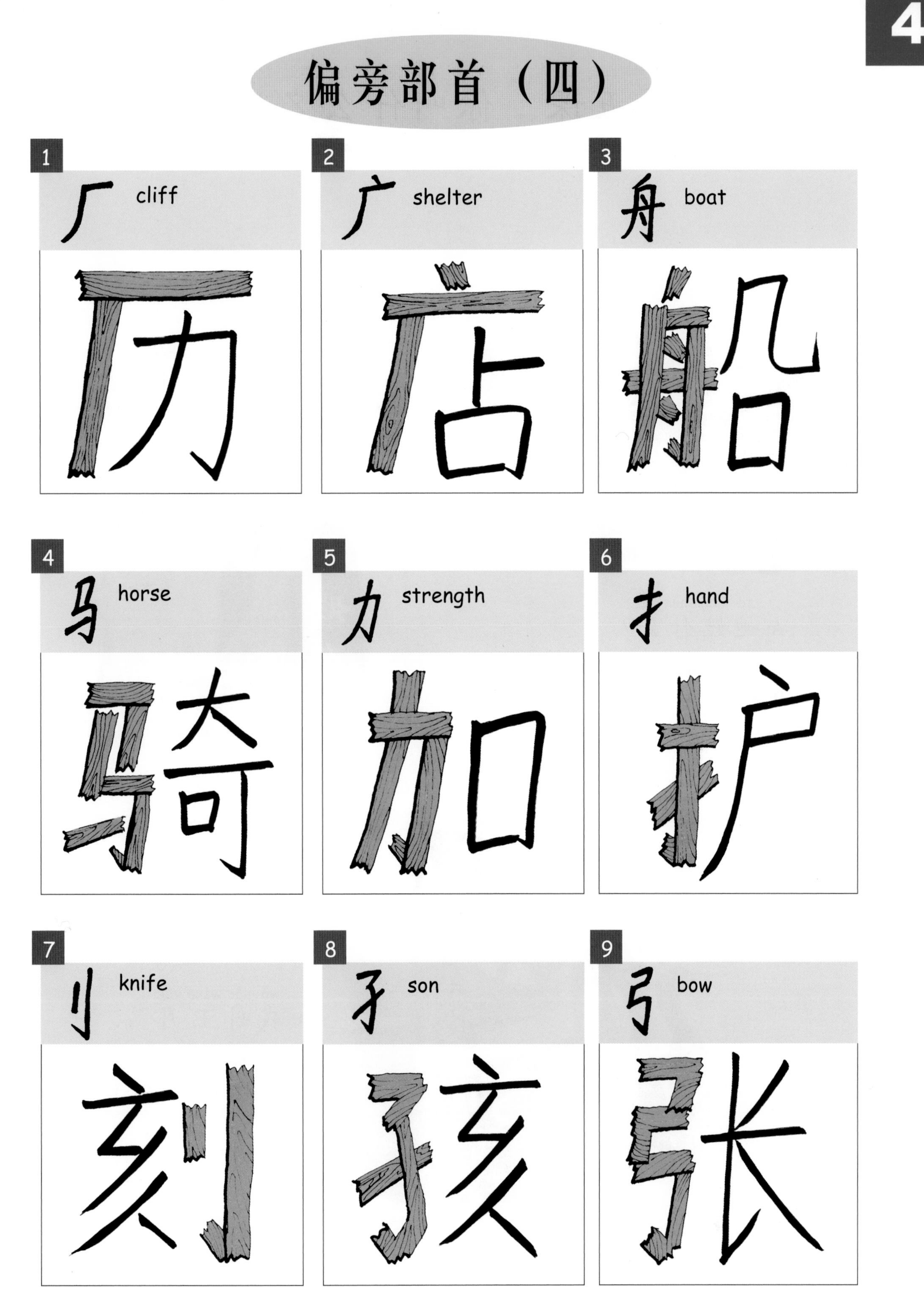
1
厂 cliff
历
2
广 shelter
店
3
舟 boat
船
4
马 horse
騎
5
力 strength
加
6
扌 hand
护
7
刂 knife
刻
8
子 son
孩
9
弓 bow
张

第五课 你叫什么名字

1 CD T6

tā xìng shén me
A: 她姓什么？

tā xìng mǎ
B: 她姓马。

2

tā xìng shén me
A: 他姓什么？

tā xìng lǐ
B: 他姓李。

3

wǒ jiào wáng yuè
A: 我叫王月。

nǐ jiào shén me míng zi
你叫什么名字？

wǒ jiào lǐ shān
B: 我叫李山。

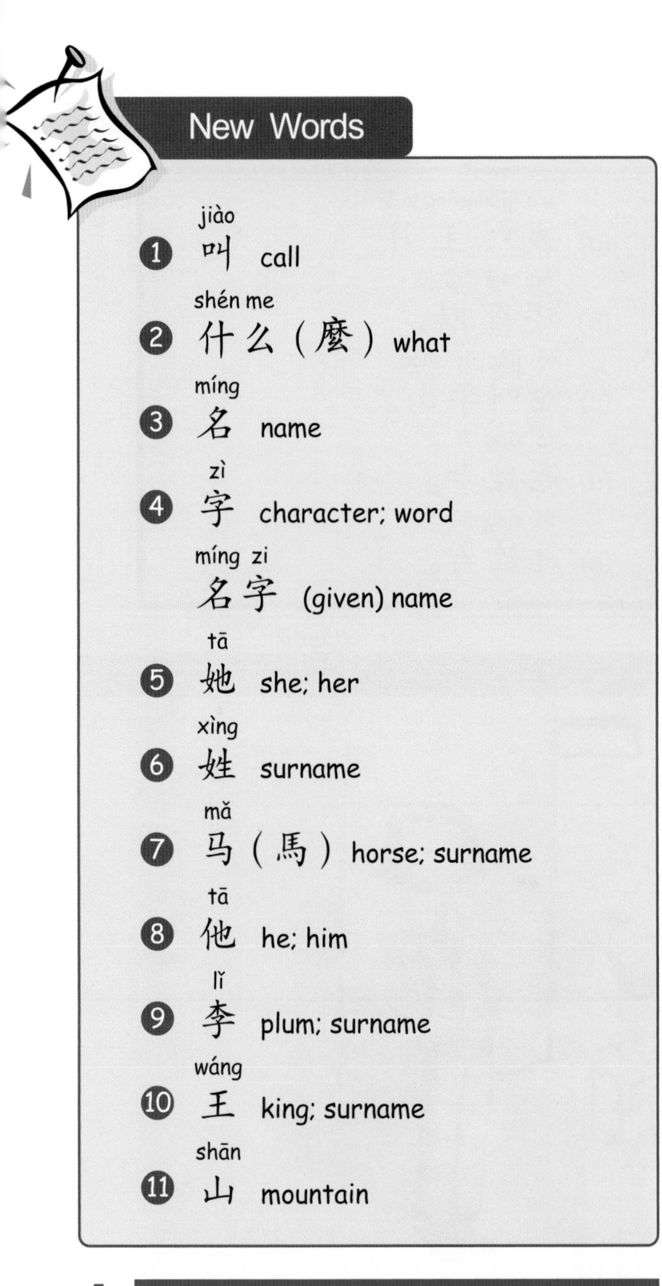

New Words

1. jiào 叫 call
2. shén me 什么（麼） what
3. míng 名 name
4. zì 字 character; word

   míng zi 名字 (given) name
5. tā 她 she; her
6. xìng 姓 surname
7. mǎ 马（馬） horse; surname
8. tā 他 he; him
9. lǐ 李 plum; surname
10. wáng 王 king; surname
11. shān 山 mountain

1 Read aloud.

(1) 朋友 péngyou

(2) 名字 míngzi

(3) 什么 shénme

(4) 姓 xìng

(5) 还可以 hái kěyǐ

(6) 不错 búcuò

(7) 再见 zàijiàn

(8) 谢谢 xièxie

2 Answer the questions.

David Smith

①

A: 他姓什么？ (tā xìng shén me)

B: 他姓 Smith。

A: 他叫什么名字？ (tā jiào shén me míng zi)

B: 他叫 David。

李天一

②

A: 她姓什么？ (tā xìng shén me)

B: ________。

A: 她叫什么名字？ (tā jiào shén me míng zi)

B: ________。

Mohammed Patel

③

A: 他姓什么？ (tā xìng shén me)

B: ________。

A: 他叫什么名字？ (tā jiào shén me míng zi)

B: ________。

Jimmy King

④

A: 他姓什么？ (tā xìng shén me)

B: ________。

A: 他叫什么名字？ (tā jiào shén me míng zi)

B: ________。

3 Match the question with the answer.

(1) 你好吗？ (nǐ hǎo ma)	(a) 我叫王月。 (wǒ jiào wáng yuè)
(2) 你叫什么名字？ (nǐ jiào shén me míng zi)	(b) 还可以。 (hái kě yǐ)
(3) 他姓什么？ (tā xìng shén me)	(c) 他叫李山。 (tā jiào lǐ shān)
(4) 你朋友叫什么名字？ (nǐ péng you jiào shén me míng zi)	(d) 他姓李。 (tā xìng lǐ)
(5) 她姓什么？ (tā xìng shén me)	(e) 她姓马。 (tā xìng mǎ)

4 Ask a question for each answer.

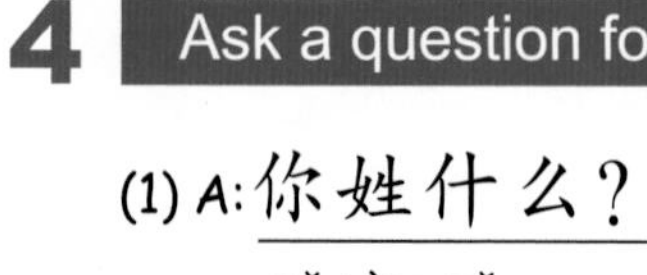

(1) A: 你姓什么？

wǒ xìng mǎ
B: 我姓马。

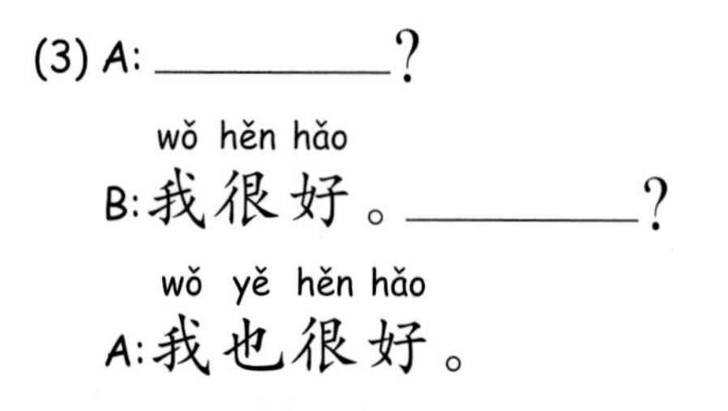

(2) A: ________？

tā jiào lǐ shān
B: 他叫李山。

(3) A: ________？

wǒ hěn hǎo
B: 我很好。________？

wǒ yě hěn hǎo
A: 我也很好。

5 CD T7 Listen to the recording. Write down the telephone numbers.

(1) 2763 8019

(2) ____________

(3) ____________

(4) ____________

(5) ____________

(6) ____________

6 Read aloud.

CONSONANTS (4):

zh ch sh r

(1)	zhī	zhí	zhǐ	zhì
(2)	chī	chí	chǐ	chì
(3)	shī	shí	shǐ	shì
(4)	/	rú	rǔ	rù

5

偏旁部首（五）

1
木 tree; wood
机

2
禾 crops
和

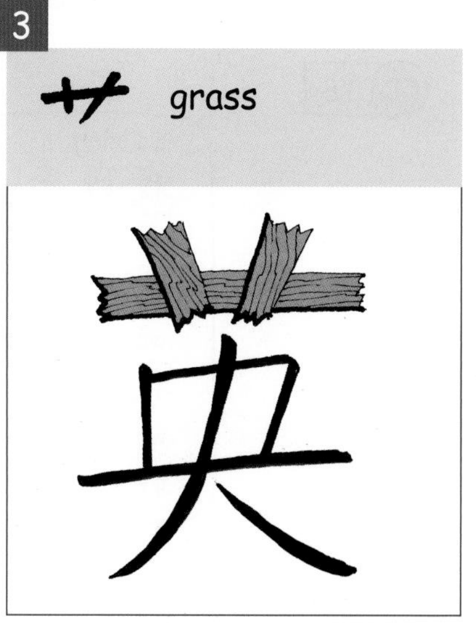
3
艹 grass
英

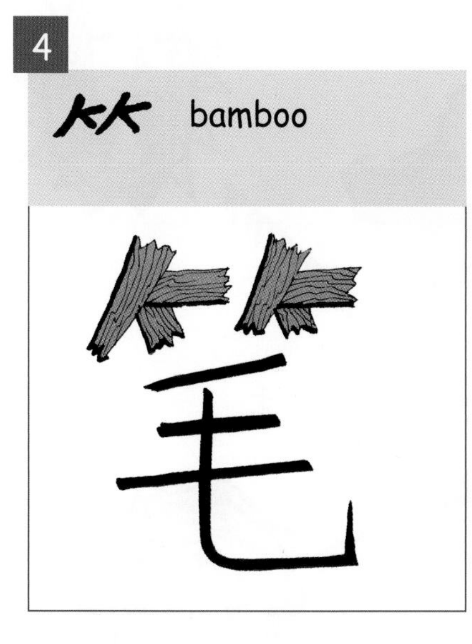
4
⺮ bamboo
笔

5
大 big
太

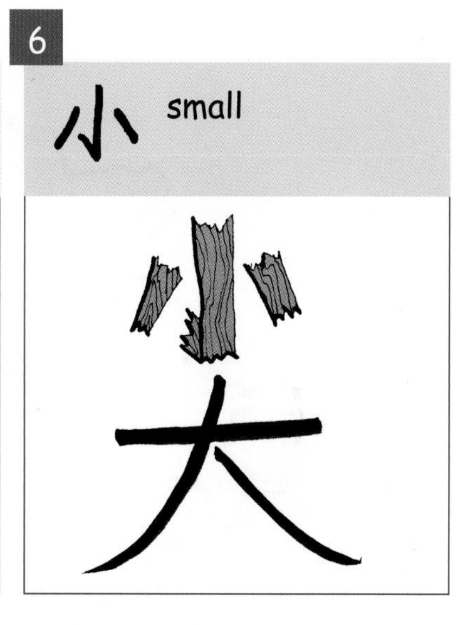
6
小 small
笑

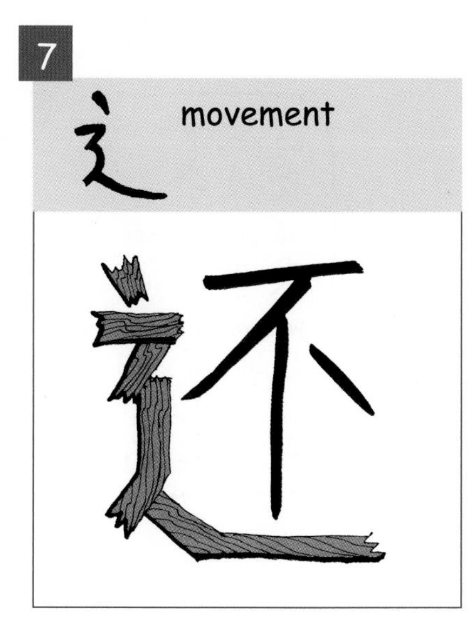
7
辶 movement
还

8
阝 ear
那

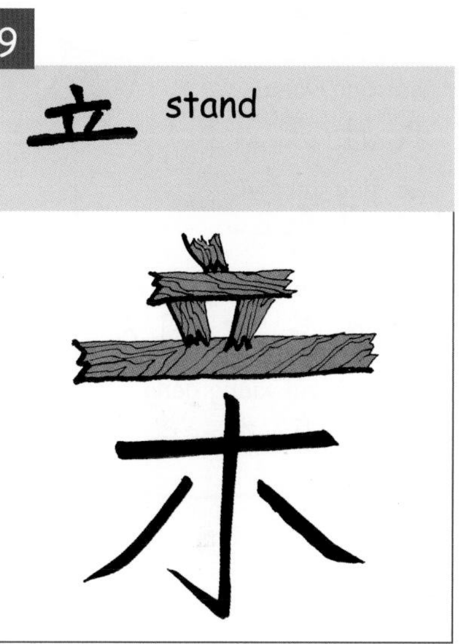
9
立 stand
亲

第六课　他住在哪儿

CD T8

Answer the questions.

1

lǐ shān shì nǎ guó rén
李山是哪国人？
tā zhù zài nǎr
她住在哪儿？

2

wáng yuè shì nǎ guó rén
王月是哪国人？
tā zhù zài nǎr
她住在哪儿？

3

lǐ hǎi shì nǎ guó rén
李海是哪国人？
tā zhù zài nǎr
他住在哪儿？

4

shān běn míng shì nǎ guó rén
山本明是哪国人？
tā zhù zài nǎr
他住在哪儿？

5

wáng ān yī shì nǎ guó rén
王安一是哪国人？
tā zhù zài nǎr
她住在哪儿？

New Words

1. 住 (zhù) live; reside
2. 在 (zài) in; on
3. 哪 (nǎ) which; what
4. 儿（兒）(ér) child; son　哪儿 (nǎr) where
5. 中 (zhōng) middle; centre
6. 国（國）(guó) country; kingdom　中国 (zhōng guó) China
7. 人 (rén) person; people　中国人 (zhōng guó rén) Chinese
8. 北 (běi) north
9. 京 (jīng) capital　北京 (běi jīng) Beijing
10. 上 (shàng) up; previous; attend
11. 海 (hǎi) sea　上海 (shàng hǎi) Shanghai
12. 西 (xī) west
13. 安 (ān) safe　西安 (xī ān) Xi'an
14. 本 (běn) root; origin　日本 (rì běn) Japan　日本人 (rì běn rén) Japanese
15. 香 (xiāng) fragrant
16. 港 (gǎng) harbour　香港 (xiāng gǎng) Hong Kong
17. 哪国人 (nǎ guó rén) what nationality

1 Find the places on the map. Write the numbers in the blanks.

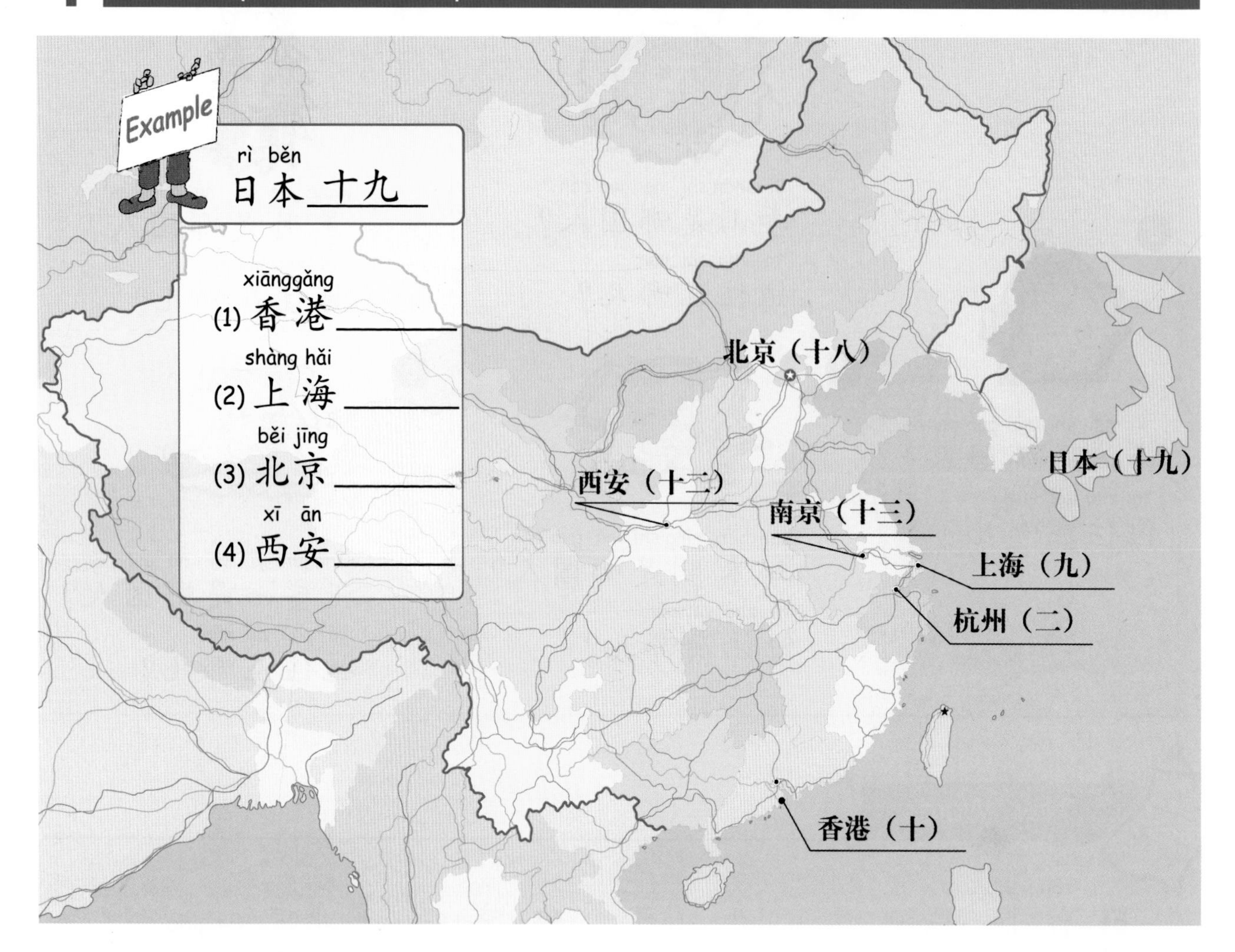

2 Match the Chinese with the English.

zhōng guó (1) 中国	(a) Japan
běi jīng (2) 北京	(b) Xi'an
rì běn (3) 日本	(c) China
xī ān (4) 西安	(d) Hong Kong
shàng hǎi (5) 上海	(e) what nationality
xiānggǎng (6) 香港	(f) Beijing
nǎ guó rén (7) 哪国人	(g) where
nǎr (8) 哪儿	(h) Shanghai

3 Finish the dialogues in Chinese.

nǐ zhù zài nǎr
(1) A: 你住在哪儿？ (běi jīng 北京)

B: ______

tā zhù zài nǎr
(2) A: 他住在哪儿？ (shàng hǎi 上海)

B: ______

nǐ shì nǎ guó rén
(3) A: 你是哪国人？ (zhōng guó rén 中国人)

B: ______

tā zhù zài nǎr
(4) A: 她住在哪儿？ (xiāng gǎng 香港)

B: ______

4 CD T9 Listen to the recording. Choose the right answer.

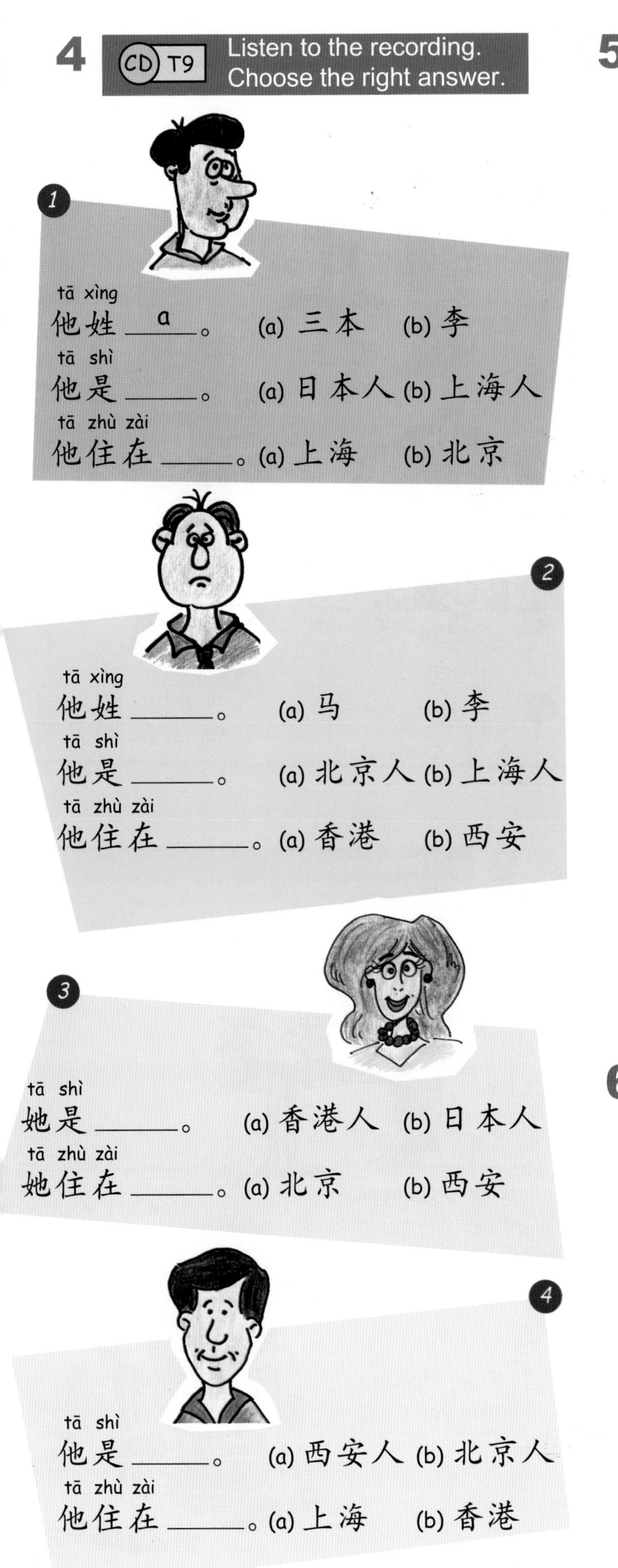

1

tā xìng
他姓 __a__。 (a) 三本 (b) 李

tā shì
他是 ______。 (a) 日本人 (b) 上海人

tā zhù zài
他住在 ______。 (a) 上海 (b) 北京

2

tā xìng
他姓 ______。 (a) 马 (b) 李

tā shì
他是 ______。 (a) 北京人 (b) 上海人

tā zhù zài
他住在 ______。 (a) 香港 (b) 西安

3

tā shì
她是 ______。 (a) 香港人 (b) 日本人

tā zhù zài
她住在 ______。 (a) 北京 (b) 西安

4

tā shì
他是 ______。 (a) 西安人 (b) 北京人

tā zhù zài
他住在 ______。 (a) 上海 (b) 香港

5 Say two sentences for each picture.

Example

rì běn rén
日本人
shàng hǎi
上海

tā shì rì běn rén
她是日本人。
tā zhù zài shàng hǎi
她住在上海。

1
shàng hǎi rén
上海人
xī ān
西安

2
rì běn rén
日本人
běi jīng
北京

3
xiāng gǎng rén
香港人
shàng hǎi
上海

4
zhōng guó rén
中国人
rì běn
日本

6 Read aloud.

CONSONANTS (5):

	z	c	s	y	w
(1)	zī	/	zǐ	zì	
(2)	cī	cí	cǐ	cì	
(3)	sī	/	sǐ	sì	
(4)	yī	yí	yǐ	yì	
(5)	wū	wú	wǔ	wù	

7 Answer the questions.

8 Read aloud.

(1) 哪儿 nǎr

(2) 哪国人 nǎ guó rén

(3) 住 zhù

(4) 在 zài

(5) 再见 zàijiàn

(6) 香港 xiānggǎng

(7) 上海 shànghǎi

(8) 日本 rìběn

(9) 朋友 péngyou

(10) 不错 búcuò

9 Translation.

偏旁部首（六）

1

又 again

2

欠 owe

3

方 square

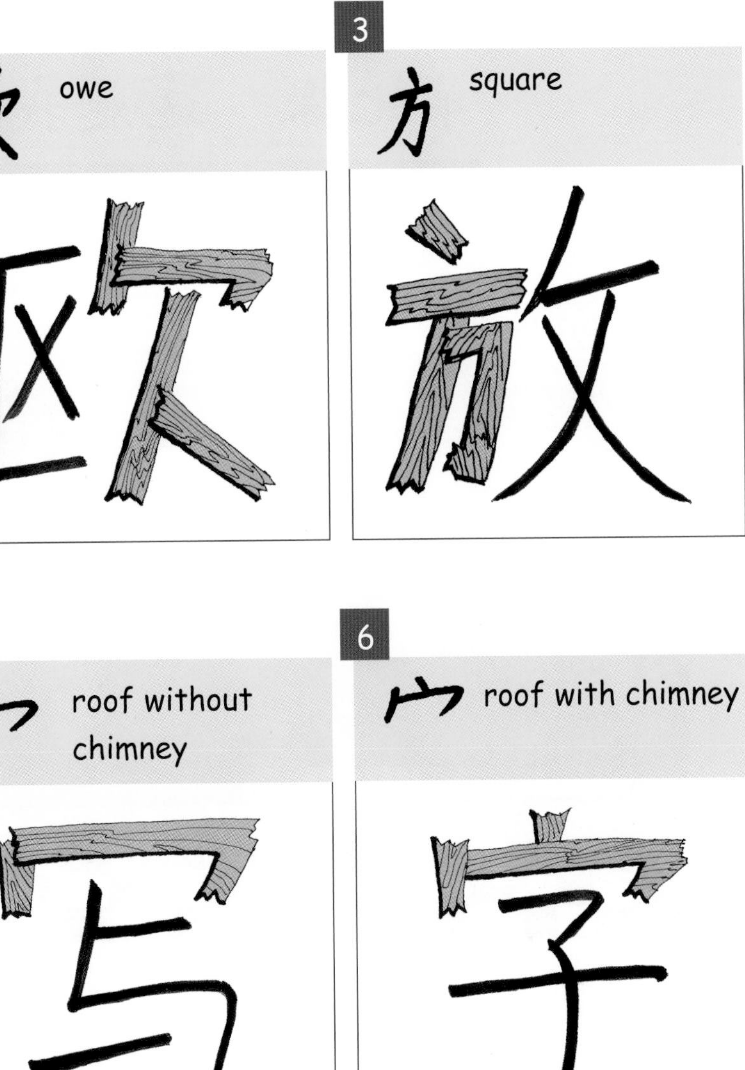

4

女 female

5

冖 roof without chimney

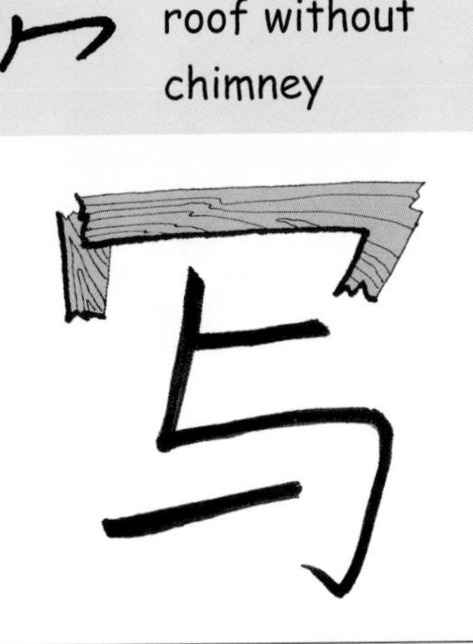

6

宀 roof with chimney

7

冂 border

8

门 door

9

囗 enclosure

第二单元　一家人

1 CD T10

1 wǒ 我　　2 nǐ 你　　3 tā men 他们

4 tā 他　　5 tā 她　　6 wǒ men 我们　　7 wǒ men yì jiā rén 我们一家人

2
1 zhè shì wǒ mā ma
这是我妈妈。
2 zhè shì wǒ
这是我。
3 zhè shì wǒ mèi mei
这是我妹妹。
4 zhè shì wǒ dì di
这是我弟弟。
5 zhè shì wǒ bà ba
这是我爸爸。
zhè shì shuí
A: 这是谁?
zhè shì wǒ jiě jie
B: 这是我姐姐。
tā shì shuí
A: 他是谁?
tā shì wǒ bà ba
B: 他是我爸爸。
tā shì shuí
A: 她是谁?
tā shì wǒ mā ma
B: 她是我妈妈。
tā shì shuí
A: 他是谁?
tā shì wǒ gē ge
B: 他是我哥哥。
zhè shì shuí
A: 这是谁?
zhè shì wǒ
B: 这是我。
3
1 jiě jie
姐姐
2 bà ba
爸爸
3 mā ma
妈妈
4 gē ge
哥哥
5 wǒ
我

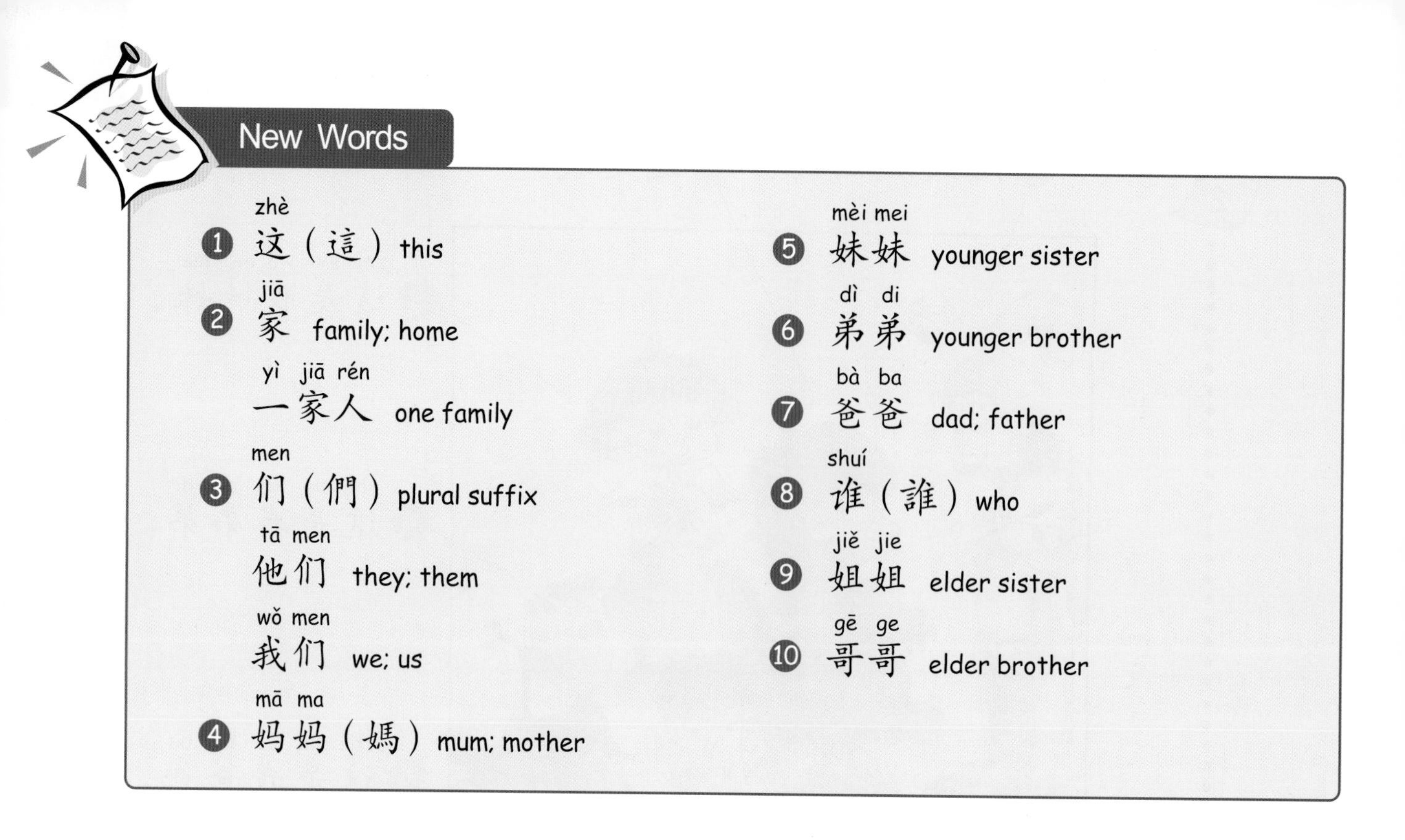

New Words

1. zhè 这（這）this
2. jiā 家 family; home
   yì jiā rén 一家人 one family
3. men 们（們）plural suffix
   tā men 他们 they; them
   wǒ men 我们 we; us
4. mā ma 妈妈（媽）mum; mother
5. mèi mei 妹妹 younger sister
6. dì di 弟弟 younger brother
7. bà ba 爸爸 dad; father
8. shuí 谁（誰）who
9. jiě jie 姐姐 elder sister
10. gē ge 哥哥 elder brother

1 Choose a caption for each picture.

(a) wǒ 我	(b) nǐ 你	(c) tā 他	(d) tā 她	(e) wǒ men 我们	(f) nǐ men 你们	(g) tā men 他们

2 CD T11 Listen to the recording. Tick the words you hear.

(1) 爸爸　(2) 妈妈　(3) 哥哥

(4) 姐姐　(5) 爸爸　(6) 妹妹

3 Read aloud.

DIPHTHONGS:

(1) ai ei ui

(2) ao ou iu

(3) ie üe er

(4) an en in un ün

(5) ang eng ing ong

4 Match the Chinese with the English.

(1) péng you 朋友	(a) we
(2) yī jiā rén 一家人	(b) you
(3) tā men 他们	(c) one family
(4) nǐ men 你们	(d) he
(5) wǒ men 我们	(e) friend
(6) tā 他	(f) they

5 Read aloud.

(1) 哥哥 gēge

(2) 家 jiā

(3) 妈妈 māma

(4) 爸爸 bàba

(5) 不错 búcuò

(6) 姐姐 jiějie

(7) 谢谢 xièxie

(8) 弟弟 dìdi

(9) 名字 míngzi

(10) 谁 shuí

(11) 妹妹 mèimei

(12) 海 hǎi

(13) 我们 wǒmen

(14) 明天 míngtiān

天天练 Speaking Practice

Read aloud.

yī yuè 一月	èr yuè 二月	sān yuè 三月	sì yuè 四月	wǔ yuè 五月	liù yuè 六月
qī yuè 七月	bā yuè 八月	jiǔ yuè 九月	shí yuè 十月	shí yī yuè 十一月	shí èr yuè 十二月

6 Finish the dialogues in Chinese.

7 CD T12 Listen to the recording. Circle the right answer.

1.
(a)这是我哥哥。
(b)这是我弟弟。

2.
(a)她姓王。她住在上海。
(b)她姓马。她住在北京。

3.
(a)他姓王。他是中国人。
(b)他姓山本。他是日本人。

4.
(a)她是日本人。她住在西安。
(b)她是上海人。她住在香港。

8 Translation.

1. This is my father.
2. This is my elder sister.
3. This is me.
4. This is my younger brother.
5. This is my elder brother.
6. This is my mother.

识 字（一） CD T13

zhōng guó dà
中 国 大，
rén kǒu duō
人 口 多，
fāng yán duō
方 言 多，
lì shǐ cháng
历 史 长。

New Words

1. dà 大 big
2. kǒu 口 measure word; mouth
   rén kǒu 人口 population
3. duō 多 more; many
4. fāng 方 square; direction; surname
5. yán 言 speech; say
   fāng yán 方言 dialect
6. lì 历（歷，曆）experience; calendar
7. shǐ 史 history; surname
   lì shǐ 历史 history
8. cháng 长（長）long

第八课 他家有七口人
1
CD T14
nà shì tā bà ba
那是他爸爸。
4
nà shì tā gē ge
那是他哥哥。
5
nà shì tā jiě jie
那是他姐姐。
6
nà shì tā mā ma
那是他妈妈。
7
3
zhè shì tā xiǎo dì di
这是他小弟弟。
2
zhè shì tā dà dì di
这是他大弟弟。
1
zhè shì lǐ ān
这是李安。
2
zhè shì lǐ ān de yì jiā tā jiā
这是李安的一家。他家
yǒu qī kǒu rén tā men shì bà ba mā
有七口人，他们是爸爸、妈
ma yí ge gē ge yí ge jiě jie liǎng
妈、一个哥哥、一个姐姐、两
ge dì di hé tā tā men shì yīng guó rén
个弟弟和他。他们是英国人。
tā men zhù zài yīng guó
他们住在英国。
Answer the questions.
lǐ ān jiā yǒu jǐ kǒu rén
(1) 李安家有几口人？
tā yǒu jǐ ge xiōng dì jiě mèi
(2) 他有几个兄弟姐妹？
tā yǒu méi yǒu mèi mei
(3) 他有没有妹妹？
tā yǒu jǐ ge dì di
(4) 他有几个弟弟？
tā men shì nǎ guó rén
(5) 他们是哪国人？
tā men zhù zài nǎr
(6) 他们住在哪儿？

New Words

1. yǒu 有 have; there is
2. qī kǒu rén 七口人 seven members in the family
3. dà dì di 大弟弟 big younger brother
4. xiǎo 小 small; little
   xiǎo dì di 小弟弟 little younger brother
5. nà 那 that
6. gè 个（個）measure word (general)
   yí ge gē ge 一个哥哥 one elder brother
7. liǎng 两（兩）two (used before a measure word)
   liǎng ge dì di 两个弟弟 two younger brothers
8. hé 和 and
9. yīng 英 hero
   yīng guó 英国 Britain
   yīng guó rén 英国人 the British
10. jǐ kǒu rén 几口人 how many members in the family
11. xiōng 兄 elder brother
    xiōng dì jiě mèi 兄弟姐妹 brothers and sisters
12. méi 没 no
    méi yǒu 没有 not have; there is not

1 Match the pictures with the words.

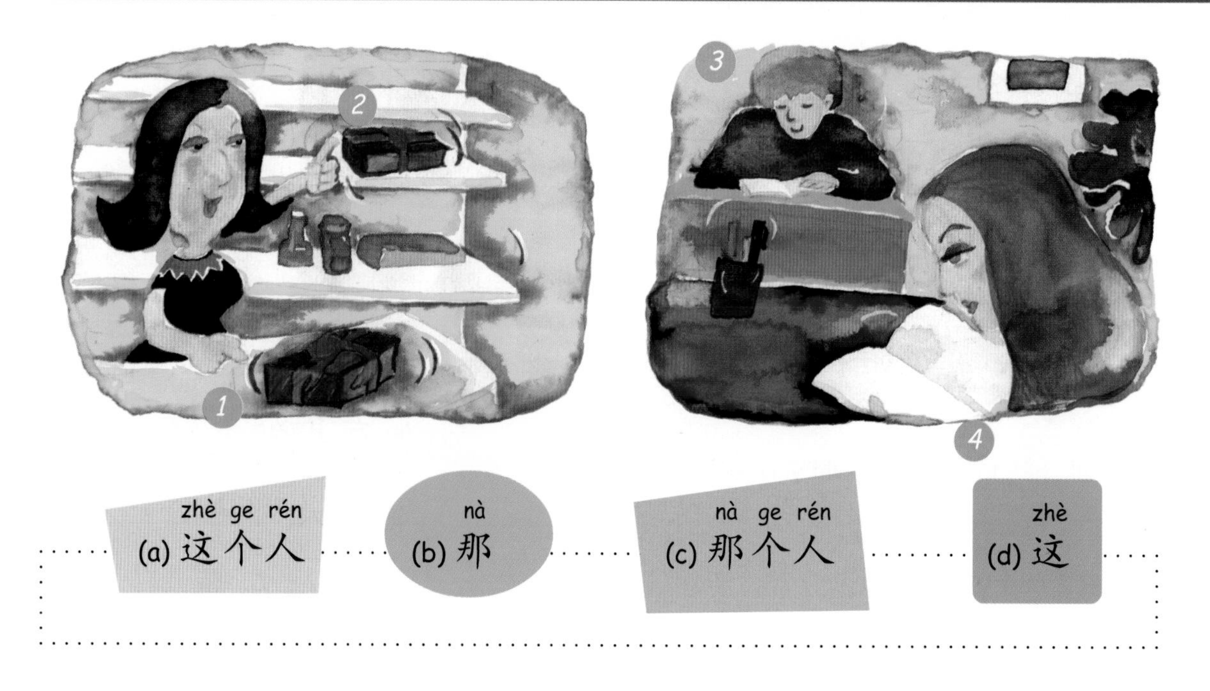

2 Read aloud.

(1)	号	hào	(10)	两	liǎng
(2)	早	zǎo	(11)	大	dà
(3)	小	xiǎo	(12)	那	nà
(4)	个	gè	(13)	明天	míngtiān
(5)	和	hé	(14)	英国	yīngguó
(6)	哥	gē	(15)	昨天	zuótiān
(7)	这	zhè	(16)	妹妹	mèimei
(8)	弟	dì	(17)	没有	méiyǒu
(9)	几	jǐ	(18)	口	kǒu

3 Say in Chinese.

1 ______ father

2 ______ mother

3 ______ elder sister

4 ______ younger sister

5 ______ elder brother

6 ______ younger brother

4 Ask a question for each answer.

(1) A: 他有几个妹妹?

tā yǒu liǎng ge mèi mei
B: 他有两个妹妹。

(2) A: ______________________?

tā jiā yǒu sì kǒu rén
B: 她家有四口人。

(3) A: ______________________?

wǒ yǒu yí ge dì di
B: 我有一个弟弟。

(4) A: ______________________?

wǒ yǒu sì ge xiōng dì jiě mèi
B: 我有四个兄弟姐妹。

NOTE

gè kǒu
"个"、"口" are measure words.

(a) nǐ jiā yǒu jǐ kǒu rén
A: 你家有几口人?

How many people are there in your family?

wǔ kǒu rén
B: 五口人。 Five people.

(b) wǒ yǒu liǎng ge dì di
我有两个弟弟。

I have two younger brothers.

5 Answer the questions in Chinese.

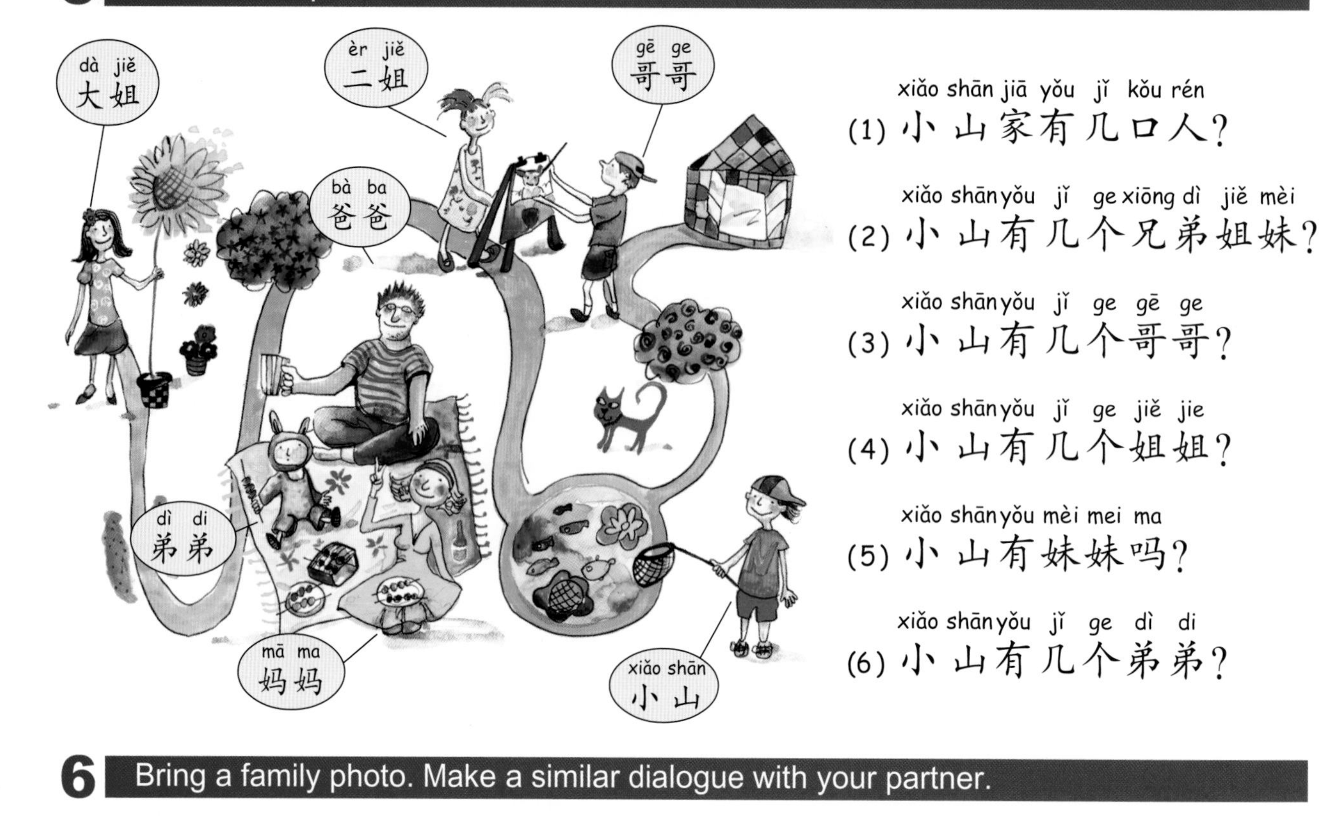

xiǎo shān jiā yǒu jǐ kǒu rén
(1) 小山家有几口人？

xiǎo shān yǒu jǐ ge xiōng dì jiě mèi
(2) 小山有几个兄弟姐妹？

xiǎo shān yǒu jǐ ge gē ge
(3) 小山有几个哥哥？

xiǎo shān yǒu jǐ ge jiě jie
(4) 小山有几个姐姐？

xiǎo shān yǒu mèi mei ma
(5) 小山有妹妹吗？

xiǎo shān yǒu jǐ ge dì di
(6) 小山有几个弟弟？

6 Bring a family photo. Make a similar dialogue with your partner.

tā shì shuí
A:她是谁？

tā shì wǒ mā ma
B:她是我妈妈。

zhè ge rén shì shuí
A:这个人是谁？

zhè shì wǒ
B:这是我。

nà ge rén shì shuí
A:那个人是谁？

nà ge rén shì wǒ jiě jie
B:那个人是我姐姐。

天天练 Speaking Practice

Read aloud.

wǔ yuè qī hào = wǔ yuè qī rì
(1) 五月七号 = 五月七日

jiǔ yuè shí èr hào = jiǔ yuè shí èr rì
(2) 九月十二号 = 九月十二日

shí èr yuè èr shí wǔ hào = shí èr yuè èr shí wǔ rì
(3) 十二月二十五号 = 十二月二十五日

yī yuè yī hào = yī yuè yī rì
(4) 一月一号 = 一月一日

7 Ask questions in another way.

Example

tā shì nǐ gē ge ma
他是你哥哥吗?

tā shì bú shì nǐ gē ge
» 他是不是你哥哥?

(1) zhè shì nǐ dì di ma
这是你弟弟吗?

(2) nà shì nǐ de péngyou ma
那是你的朋友吗?

(3) nǐ shì yīng guó rén ma
你是英国人吗?

(4) nǐ yǒu gē ge ma
你有哥哥吗?

(5) nǐ yǒuxiōng dì jiě mèi ma
你有兄弟姐妹吗?

(6) nǐ yǒu jiě jie ma
你有姐姐吗?

NOTE

1. nà shì nǐ jiě jie ma
那是你姐姐吗?

Is that your elder sister?

You can also ask by saying:

nà shì bú shì nǐ jiě jie
那是不是你姐姐?

2. nǐ yǒu dì di ma
你有弟弟吗?

Do you have any younger brothers?

You can also ask by saying:

nǐ yǒu méi yǒu dì di
你有没有弟弟?

8 Answer the following questions.

(1) nǐ jiā yǒu jǐ kǒu rén
你家有几口人?

(2) nǐ yǒu méi yǒu xiōng dì jiě mèi
你有没有 兄弟姐妹?

(3) nǐ yǒu jǐ ge xiōng dì jiě mèi
你有几个兄弟姐妹?

(4) nǐ yǒu méi yǒu gē ge
你有没有哥哥?

(5) nǐ yǒu jiě jie ma
你有姐姐吗?

(6) nǐ yǒu dì di ma
你有弟弟吗?

(7) nǐ yǒu mèi mei ma
你有妹妹吗?

9 Read aloud.

b p m f

(1)	ba	pa	ma	fa
(2)	ban	pan	man	fan
(3)	ben	pen	men	fen
(4)	bei	pei	mei	fei
(5)	bàba	pǎobù	māma	fěnbǐ
(6)	bǐfēn	pīngpāng	mèimei	fèipǐn

10 Read the following dialogues. Make your own with your partner.

识 字（二）

CD T15

ěr kǒu shǒu
耳 口 手，
yì qí yòng
一 齐 用。
quán shēn xīn
全 身 心，
xué zhōng wén
学 中 文。

New Words

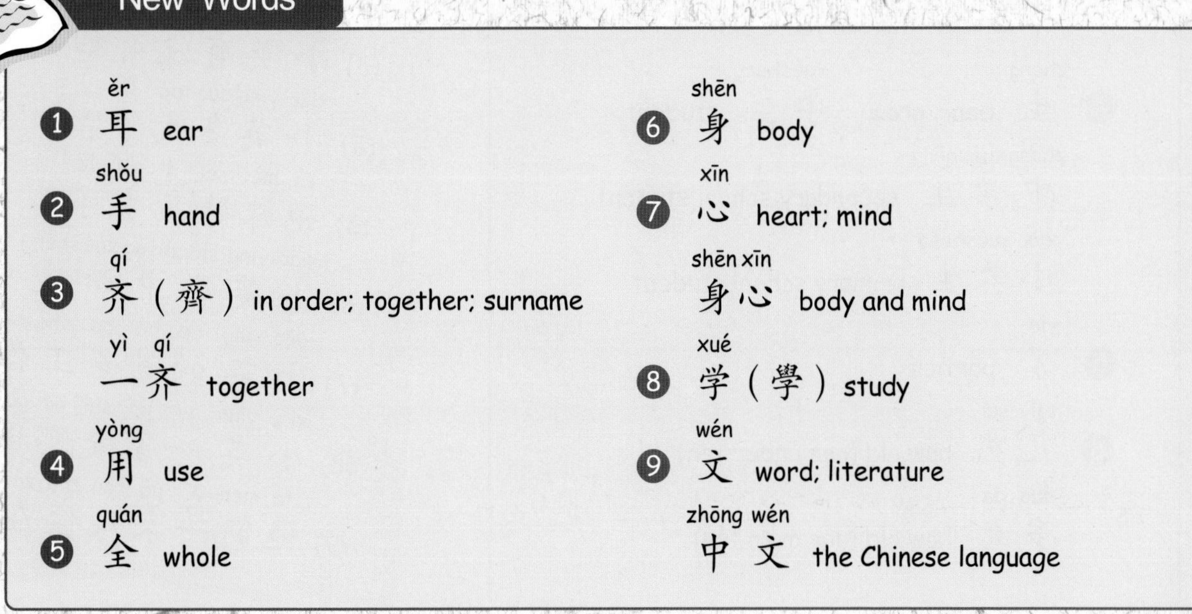

1. ěr 耳 ear
2. shǒu 手 hand
3. qí 齐（齊）in order; together; surname
   yì qí 一齐 together
4. yòng 用 use
5. quán 全 whole
6. shēn 身 body
7. xīn 心 heart; mind
   shēn xīn 身心 body and mind
8. xué 学（學）study
9. wén 文 word; literature
   zhōng wén 中文 the Chinese language

第九课　我爸爸工作，我妈妈也工作

CD T16

zhè shì wǒ de yì jiā　wǒ jiā yǒu sì kǒu rén　tā men shì bà ba　mā ma　yí
这是我的一家。我家有四口人，他们是爸爸、妈妈、一

ge mèi mei hé wǒ　wǒ shí èr suì　wǒ mèi mei qī suì　wǒ shì zhōng xué shēng　wǒ mèi
个妹妹和我。我十二岁，我妹妹七岁。我是中学生，我妹

mei shì xiǎo xué shēng　wǒ bà ba gōng zuò　wǒ mā ma yě gōng
妹是小学生。我爸爸工作，我妈妈也工

zuò　wǒ men shì yīng guó rén　wǒ men zhù zài xiāng gǎng
作。我们是英国人。我们住在香港。

xiǎo yīng
小英

New Words

1. gōng
   工 work
2. zuò
   作 do; work
   gōng zuò
   工作 work
3. suì
   岁（歲）year of age
   shí èr suì
   十二岁 twelve years old
4. shēng
   生 bear; grow
   xuésheng
   学生 student
   zhōng xué shēng
   中学生 secondary school student
   xiǎo xué shēng
   小学生 primary school student
5. le
   了 particle
6. jǐ suì
   几岁 how old (age under ten)
   duō dà
   多大 how old (age over ten)

Answer the questions.

(1) xiǎo yīng yì jiā yǒu jǐ kǒu rén
小英一家有几口人？

(2) xiǎo yīng jiā yǒu shuí
小英家有谁？

(3) xiǎo yīng yǒu méi yǒu jiě jie
小英有没有姐姐？

(4) xiǎo yīng duō dà le
小英多大了？

(5) tā mèi mei jǐ suì le
她妹妹几岁了？

(6) xiǎo yīng shì zhōng xué shēng ma
小英是中学生吗？

(7) xiǎo yīng de bà ba gōng zuò ma
小英的爸爸工作吗？

(8) xiǎo yīng yì jiā shì nǎ guó rén
小英一家是哪国人？

(9) tā men yì jiā rén zhù zài nǎr
他们一家人住在哪儿？

1 Circle the correct pinyin.

(1) 学生	(a) shuíshēng	(b) xuésheng
(2) 工作	(a) gōngzuò	(b) gōngzhuò
(3) 多大	(a) dōu dà	(b) duō dà
(4) 几岁	(a) jǐ suì	(b) jǐ shuì
(5) 英国	(a) yīnguó	(b) yīngguó
(6) 两	(a) lǎng	(b) liǎng
(7) 没有	(a) méiyǒu	(b) méiyuǒ
(8) 和	(a) hě	(b) hé

2 Match the sentence with the appropriate question word.

duō dà 多大

jǐ suì 几岁

wǒ jiě jie shí bā suì le
(1) 我姐姐十八岁了。

wǒ gē ge èr shí suì le
(2) 我哥哥二十岁了。

wáng yuè shí wǔ suì le
(3) 王月十五岁了。

xiǎo yīng shí èr suì le
(4) 小英十二岁了。

wǒ dì di jiǔ suì le
(5) 我弟弟九岁了。

tā mā ma sān shí jiǔ suì le
(6) 他妈妈三十九岁了。

tā bà ba sì shí èr suì le
(7) 他爸爸四十二岁了。

tā gē ge wǔ suì le
(8) 她哥哥五岁了。

wǒ de péng you shí sān suì le
(9) 我的朋友十三岁了。

tā de péng you qī suì le
(10) 她的朋友七岁了。

NOTE

nǐ jǐ suì le
1. A: 你几岁了？ How old are you?

wǒ liù suì le
B: 我六岁了。I am six years old.

The person is usually under ten years old.

nǐ duō dà le
2. A: 你多大了？ How old are you?

wǒ èr shí liù suì le
B: 我二十六岁了。

I am twenty-six years old.

The person is usually over ten years old.

3 Make new dialogues according to the information given.

4 Match the question with the answer.

nǐ shì zhōng xué shēng ma
(1) 你是中学生吗？

tā gōng zuò ma
(2) 他工作吗？

nǐ duō dà le
(3) 你多大了？

nǐ yǒu jiě jie ma
(4) 你有姐姐吗？

tā shì shuí
(5) 他是谁？

tā jiā yǒu jǐ kǒu rén
(6) 他家有几口人？

nǐ jǐ suì le
(7) 你几岁了？

tā shì nǎ guó rén
(8) 他是哪国人？

wǒ shí bā suì le
(a) 我十八岁了。

wǒ méi yǒu jiě jie
(b) 我没有姐姐。

wǒ bú shì zhōng xué shēng
(c) 我不是中学生。

tā jiā yǒu sān kǒu rén
(d) 他家有三口人。

tā shì rì běn rén
(e) 他是日本人。

wǒ bā suì le
(f) 我八岁了。

tā shì wǒ bà ba
(g) 他是我爸爸。

tā gōng zuò
(h) 他工作。

5 Read aloud.

d t n l

(1)	da	ta	na	la
(2)	dao	tao	nao	lao
(3)	ding	ting	ning	ling
(4)	dang	tang	nang	lang
(5)	dìtiě	tiělù	niúnǎi	lántú
(6)	dǎléi	táitóu	nántīng	lóutī

天天练 Speaking Practice

Say the dates in Chinese.

(1) August 7 ____________

(2) July 1 ____________

(3) October 1 ____________

(4) December 25 ____________

(5) February 28 ____________

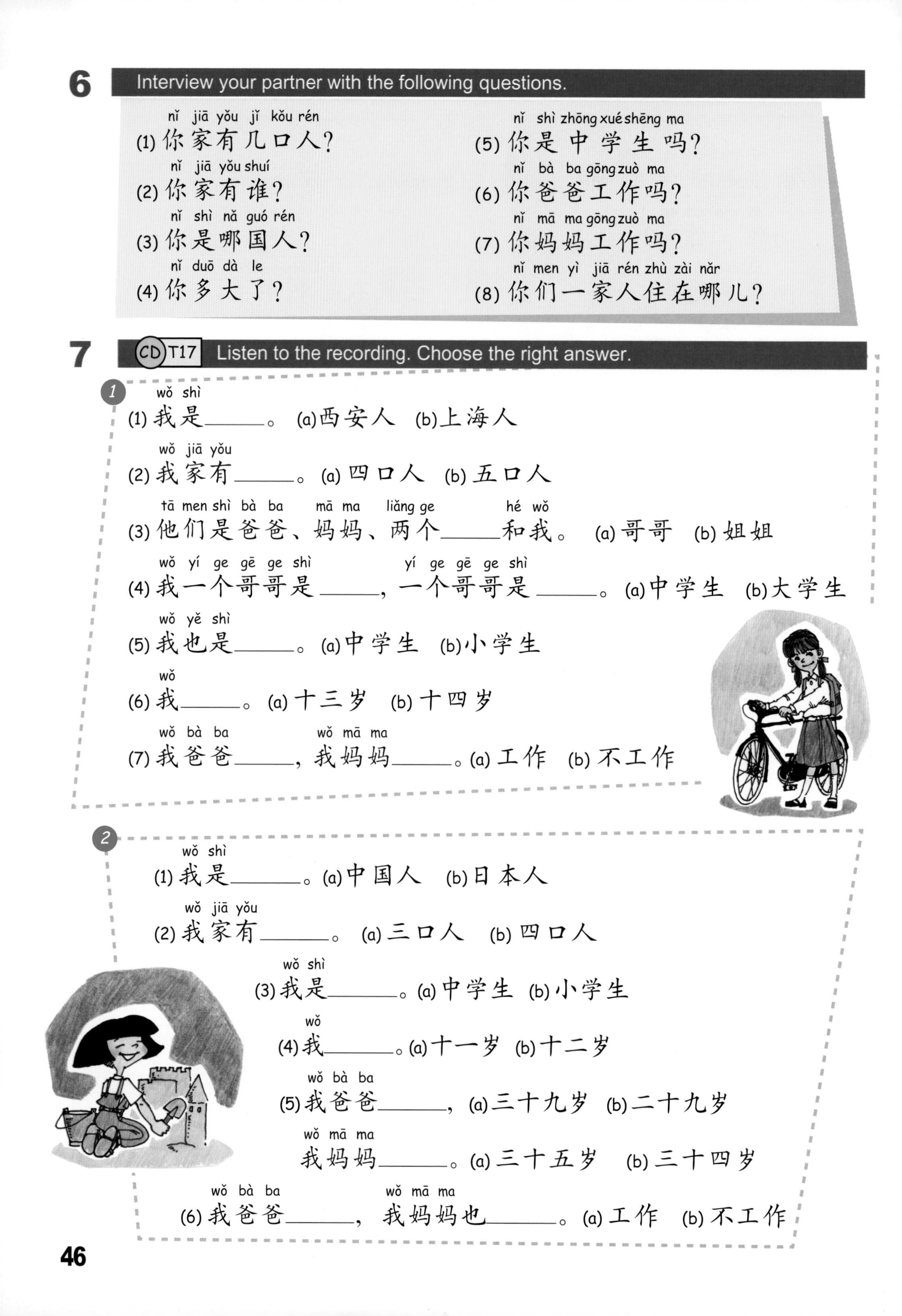

6 Interview your partner with the following questions.

(1) 你家有几口人？ (nǐ jiā yǒu jǐ kǒu rén)

(2) 你家有谁？ (nǐ jiā yǒu shuí)

(3) 你是哪国人？ (nǐ shì nǎ guó rén)

(4) 你多大了？ (nǐ duō dà le)

(5) 你是中学生吗？ (nǐ shì zhōng xué shēng ma)

(6) 你爸爸工作吗？ (nǐ bà ba gōng zuò ma)

(7) 你妈妈工作吗？ (nǐ mā ma gōng zuò ma)

(8) 你们一家人住在哪儿？ (nǐ men yì jiā rén zhù zài nǎr)

7 CD T17 Listen to the recording. Choose the right answer.

1

(1) 我是_____。 (wǒ shì) (a)西安人 (b)上海人

(2) 我家有_____。 (wǒ jiā yǒu) (a) 四口人 (b) 五口人

(3) 他们是爸爸、妈妈、两个_____和我。 (tā men shì bà ba mā ma liǎng ge hé wǒ) (a) 哥哥 (b) 姐姐

(4) 我一个哥哥是_____，一个哥哥是_____。 (wǒ yí ge gē ge shì yí ge gē ge shì) (a)中学生 (b)大学生

(5) 我也是_____。 (wǒ yě shì) (a)中学生 (b)小学生

(6) 我_____。 (wǒ) (a) 十三岁 (b) 十四岁

(7) 我爸爸_____，我妈妈_____。 (wǒ bà ba wǒ mā ma) (a) 工作 (b) 不工作

2

(1) 我是_____。 (wǒ shì) (a)中国人 (b)日本人

(2) 我家有_____。 (wǒ jiā yǒu) (a)三口人 (b)四口人

(3) 我是_____。 (wǒ shì) (a)中学生 (b)小学生

(4) 我_____。 (wǒ) (a)十一岁 (b)十二岁

(5) 我爸爸_____， (wǒ bà ba) (a)三十九岁 (b)二十九岁

我妈妈_____。 (wǒ mā ma) (a)三十五岁 (b)三十四岁

(6) 我爸爸_____，我妈妈也_____。 (wǒ bà ba wǒ mā ma) (a)工作 (b)不工作

识 字（三） CD T18

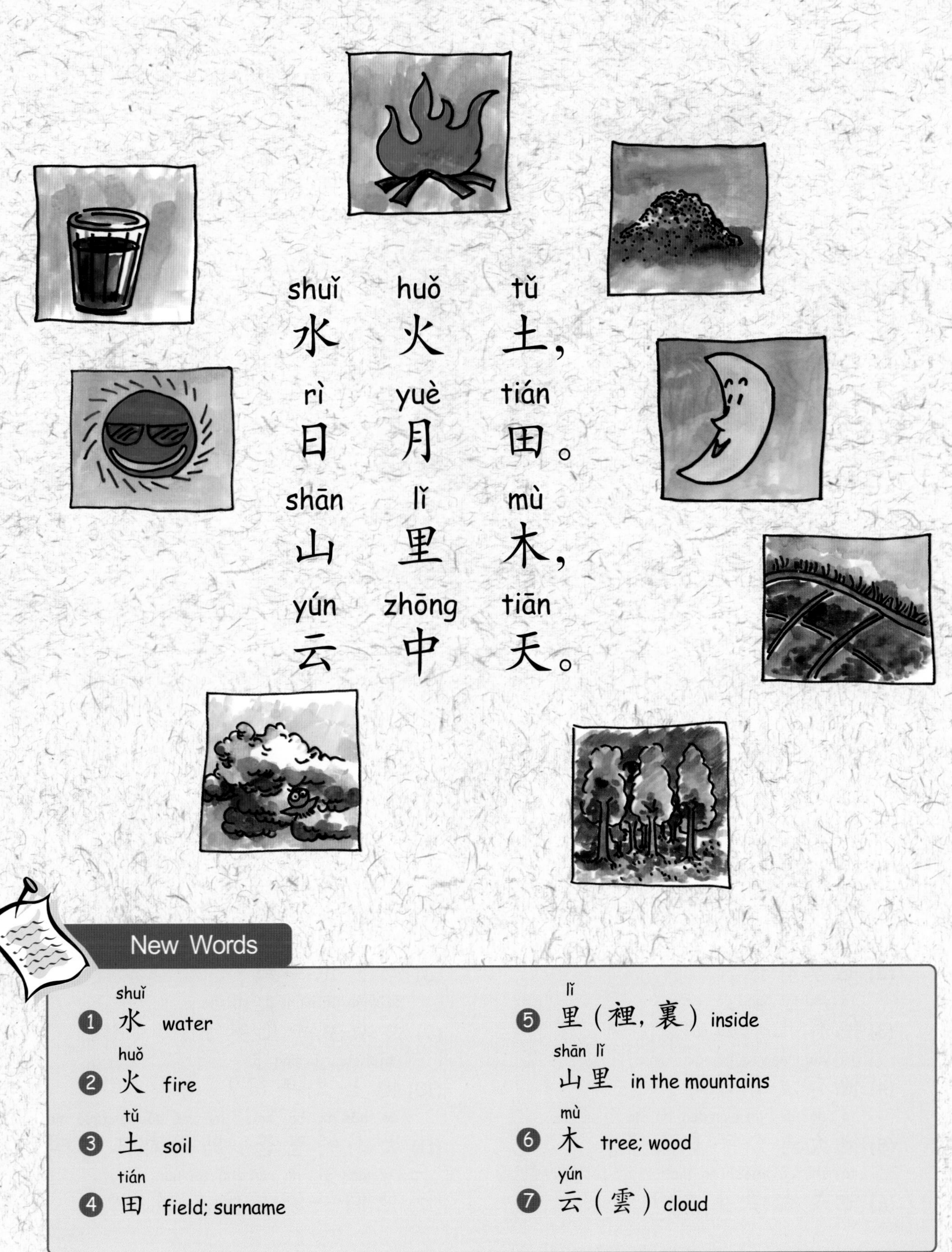

shuǐ huǒ tǔ
水 火 土，
rì yuè tián
日 月 田。
shān lǐ mù
山 里 木，
yún zhōng tiān
云 中 天。

New Words

1. shuǐ 水 water
2. huǒ 火 fire
3. tǔ 土 soil
4. tián 田 field; surname
5. lǐ 里（裡，裏）inside
   shān lǐ 山里 in the mountains
6. mù 木 tree; wood
7. yún 云（雲）cloud

第十课　我上五年级

dà shān
大山

CD T19

zhè shì wǒ de yì jiā
这是我的一家。

wǒ jiā yǒu liù kǒu rén bà ba mā ma liǎng ge gē ge yí ge jiě jie hé wǒ
我家有六口人：爸爸、妈妈、两个哥哥、一个姐姐和我。

wǒ dà gē jīn nián èr shí suì shì dà xué shēng
我大哥今年二十岁，是大学生。

èr gē jīn nián shí qī suì shì zhōng xué shēng
二哥今年十七岁，是中学生。

wǒ jiě jie jīn nián shí suì shàng liù nián jí
我姐姐今年十岁，上六年级。

wǒ jīn nián jiǔ suì shàng wǔ nián jí
我今年九岁，上五年级。

wǒ men dōu shì xiǎo xué shēng
我们都是小学生。

wǒ bà ba mā ma dōu gōng zuò
我爸爸、妈妈都工作。

wǒ men yì jiā rén zhù zài xiāng gǎng
我们一家人住在香港。

Answer the questions.

dà shān de yì jiā yǒu jǐ kǒu rén
(1) 大山的一家有几口人？

tā jiā yǒu shuí
(2) 他家有谁？

tā yǒu jǐ ge jiě jie
(3) 他有几个姐姐？

tā yǒu méi yǒu gē ge
(4) 他有没有哥哥？

tā dà gē jīn nián duō dà le
(5) 他大哥今年多大了？

tā shì dà xué shēng ma
(6) 他是大学生吗？

tā jiě jie jīn nián jǐ suì le
(7) 他姐姐今年几岁了？

tā shàng jǐ nián jí
(8) 她上几年级？

dà shān jīn nián jǐ suì le
(9) 大山今年几岁了？

tā shàng jǐ nián jí
(10) 他上几年级？

dà shān de bà ba mā ma dōu gōng zuò ma
(11) 大山的爸爸、妈妈都工作吗？

tā men yì jiā rén zhù zài nǎr
(12) 他们一家人住在哪儿？

New Words

1. nián 年 year　jīn nián 今年 this year
2. jí 级（級）grade
   nián jí 年级 grade; year
   shàng wǔ nián jí 上五年级 in Grade 5
3. dà gē 大哥 eldest brother
4. dà xuéshēng 大学生 university student
5. èr gē 二哥 second eldest brother
6. dōu 都 all; both

1 Read aloud.

(1) 学生	xuésheng		(6) 工作	gōngzuò
(2) 年级	niánjí		(7) 两	liǎng
(3) 都	dōu		(8) 多大	duō dà
(4) 上学	shàngxué		(9) 谁	shuí
(5) 九岁	jiǔsuì		(10) 今年	jīnnián

2 Match the question with the answer.

(1) lǐ ān jīn nián jǐ suì le
李安今年几岁了？

(2) nǐ jiā yǒu jǐ kǒu rén
你家有几口人？

(3) nǐ jiā yǒu shuí
你家有谁？

(4) nǐ yǒu méi yǒu xiōng dì jiě mèi
你有没有兄弟姐妹？

(5) nǐ de péng you jīn nián duō dà le
你的朋友今年多大了？

(6) tā jīn nián shàng jǐ nián jí
她今年上几年级？

(7) tā yǒu jǐ ge jiě jie
他有几个姐姐？

(a) wǒ jiā yǒu bà ba mā ma hé wǒ
我家有爸爸、妈妈和我。

(b) wǒ méi yǒu xiōng dì jiě mèi
我没有兄弟姐妹。

(c) lǐ ān jīn nián liù suì le
李安今年六岁了。

(d) wǒ jiā yǒu wǔ kǒu rén
我家有五口人。

(e) tā jīn nián shàng shí nián jí
她今年上十年级。

(f) wǒ de péng you jīn nián shí liù suì
我的朋友今年十六岁。

(g) tā yǒu liǎng ge jiě jie
他有两个姐姐。

3 CD T20 Listen to the recording. Choose the right answer.

1

hǎi yīng jīn nián
(1) 海英今年____， (a) 十二岁 (b) 十三岁
shàng zhōng xué
上中学____。 (a) 一年级 (b) 二年级

tā yǒu yí ge
(2) 她有一个____。 (a) 姐姐 (b) 妹妹

tā mèi mei jīn nián
(3) 她妹妹今年____， (a) 八岁 (b) 十岁
shàng xiǎo xué
上小学____。 (a) 三年级 (b) 四年级

tā bà ba mā ma gōng zuò
(4) 她爸爸、妈妈____工作。 (a) 也 (b) 都

tā men yì jiā rén shì
(5) 她们一家人是____。 (a) 北京人 (b) 上海人

tā men zhù zài
(6) 他们住在____。 (a) 上海 (b) 西安

2

tā men shì liǎng
(1) 他们是两______。 (a) 兄妹 (b) 姐妹

gē ge jīn nián
(2) 哥哥今年______， (a) 九岁 (b) 六岁
shàng xiǎo xué
上小学______。 (a) 四年级 (b) 五年级

mèi mei jīn nián
(3) 妹妹今年______， (a) 六岁 (b) 五岁
shàng xiǎo xué
上小学______。 (a) 一年级 (b) 二年级

tā men shì xiǎo xué shēng
(4) 他们______是小学生。 (a) 也 (b) 都

tā men de bà ba mā ma gōng zuò
(5) 他们的爸爸、妈妈______工作。 (a) 都 (b) 也

4 Read aloud.

g k h

(1)	ge	ke	he
(2)	gai	kai	hai
(3)	gong	kong	hong
(4)	gua	kua	hua
(5)	gēge	kǎigē	hégé
(6)	gǎikǒu	kāikǒu	hǎokàn
(7)	guóhuà	kǎohé	hǎigǎng

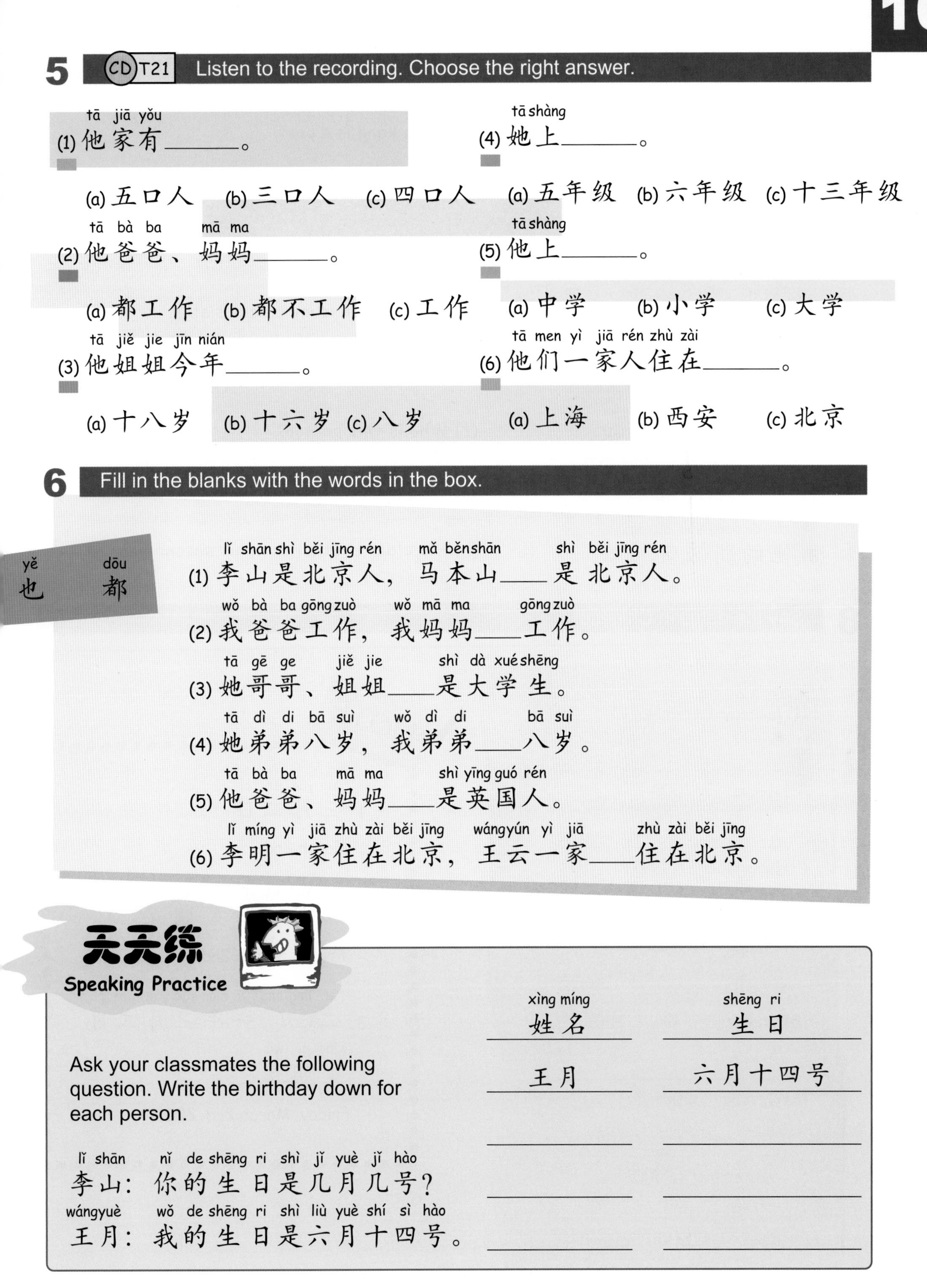

5 CD T21 Listen to the recording. Choose the right answer.

tā jiā yǒu
(1) 他家有______。

(a) 五口人 (b) 三口人 (c) 四口人

tā bà ba mā ma
(2) 他爸爸、妈妈______。

(a) 都工作 (b) 都不工作 (c) 工作

tā jiě jie jīn nián
(3) 他姐姐今年______。

(a) 十八岁 (b) 十六岁 (c) 八岁

tā shàng
(4) 她上______。

(a) 五年级 (b) 六年级 (c) 十三年级

tā shàng
(5) 他上______。

(a) 中学 (b) 小学 (c) 大学

tā men yì jiā rén zhù zài
(6) 他们一家人住在______。

(a) 上海 (b) 西安 (c) 北京

6 Fill in the blanks with the words in the box.

yě 也 dōu 都

lǐ shān shì běi jīng rén mǎ běn shān shì běi jīng rén
(1) 李山是北京人，马本山____是北京人。

wǒ bà ba gōng zuò wǒ mā ma gōng zuò
(2) 我爸爸工作，我妈妈____工作。

tā gē ge jiě jie shì dà xué shēng
(3) 她哥哥、姐姐____是大学生。

tā dì di bā suì wǒ dì di bā suì
(4) 她弟弟八岁，我弟弟____八岁。

tā bà ba mā ma shì yīng guó rén
(5) 他爸爸、妈妈____是英国人。

lǐ míng yì jiā zhù zài běi jīng wáng yún yì jiā zhù zài běi jīng
(6) 李明一家住在北京，王云一家____住在北京。

天天练 Speaking Practice

Ask your classmates the following question. Write the birthday down for each person.

lǐ shān nǐ de shēng ri shì jǐ yuè jǐ hào
李山：你的生日是几月几号？

wáng yuè wǒ de shēng ri shì liù yuè shí sì hào
王月：我的生日是六月十四号。

xìng míng 姓名	shēng ri 生日
王月	六月十四号

7 Match the Chinese with the English.

(1) tā bú zài jiā
他不在家。

(2) tā jiā méi yǒu rén
他家没有人。

(3) xiāng gǎng shì yí ge gǎng kǒu
香港是一个港口。

(4) tā gē ge shàng dà xué èr nián jí
他哥哥上大学二年级。

(5) tā yǒu hǎo duō péng you
她有好多朋友。

(6) nà ge rén shì wǒ dà jiě
那个人是我大姐。

(7) zhè ge rén shì shuí
这个人是谁?

(8) tā de péng you bù duō
他的朋友不多。

(a) Hong Kong is a port.

(b) She has many friends.

(c) He is not at home.

(d) That person is my eldest sister.

(e) There is nobody in his home.

(f) Who is this person?

(g) He does not have many friends.

(h) His elder brother is in his second year at university.

8 Say the dates in Chinese.

(1) Monday, December 15

____

(2) August 17, 2000

____

(3) November 17, 1997

____

(4) Tuesday, February 12

____

(5) Wednesday, May 2, 2001

____

(6) October 1, 2001

____

(7) September 2, 2001

____

NOTE

1. sān yuè èr rì
三月二日
March 2nd

2. sān yuè èr rì xīng qī wǔ
三月二日星期五
Friday, March 2nd

3. èr líng líng yī nián sān yuè èr rì xīng qī wǔ
二〇〇一年三月二日星期五
Friday, March 2nd, 2001

9 Say one sentence for each person.

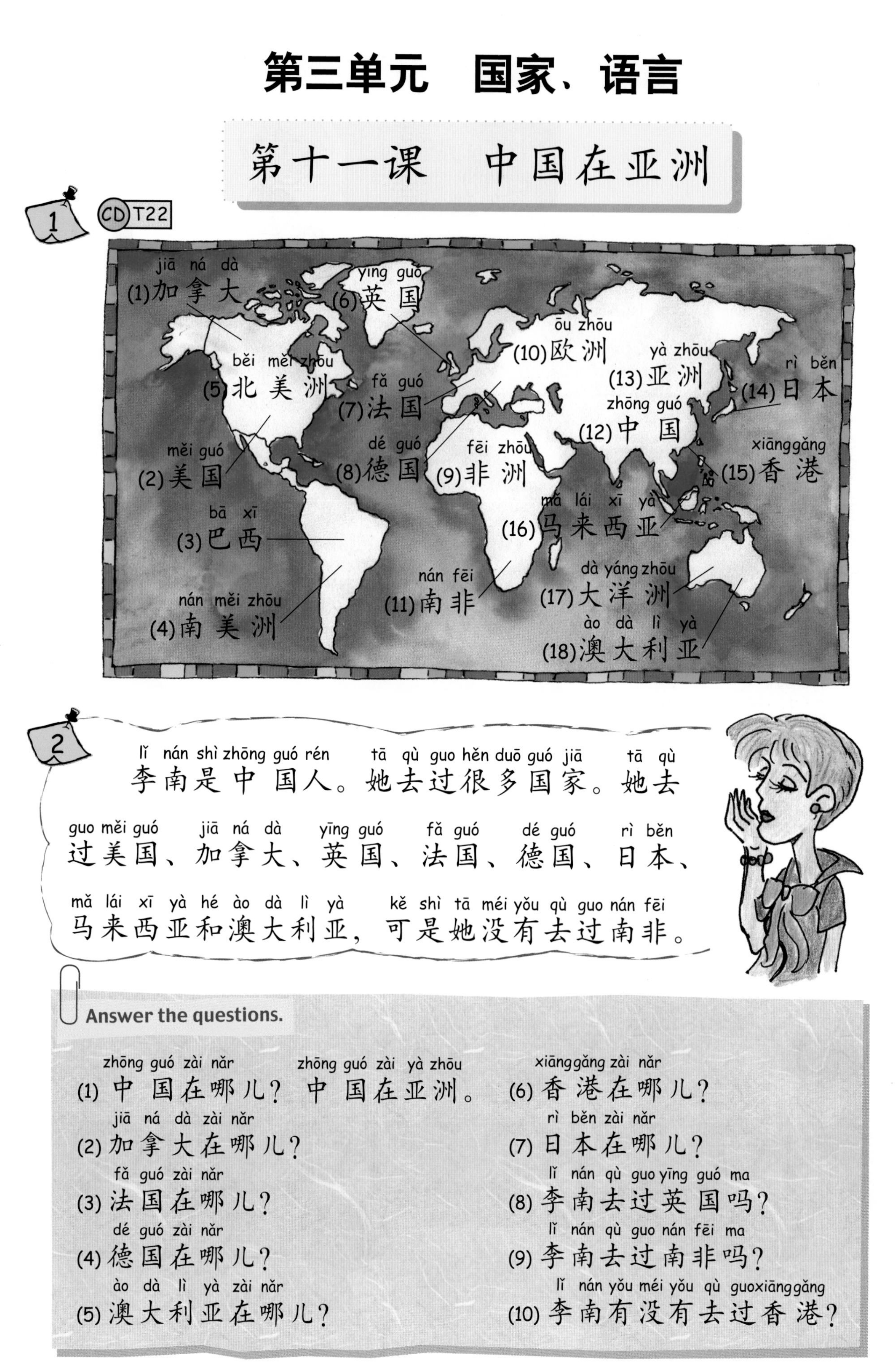

第三单元 国家、语言
第十一课 中国在亚洲
1 CD T22
jiā ná dà
(1)加拿大
měi guó
(2)美国
bā xī
(3)巴西
nán měi zhōu
(4)南美洲
běi měi zhōu
(5)北美洲
yīng guó
(6)英国
fǎ guó
(7)法国
dé guó
(8)德国
fēi zhōu
(9)非洲
ōu zhōu
(10)欧洲
nán fēi
(11)南非
zhōng guó
(12)中国
yà zhōu
(13)亚洲
rì běn
(14)日本
xiānggǎng
(15)香港
mǎ lái xī yà
(16)马来西亚
dà yáng zhōu
(17)大洋洲
ào dà lì yà
(18)澳大利亚
2
lǐ nán shì zhōng guó rén tā qù guo hěn duō guó jiā tā qù
李南是中国人。她去过很多国家。她去
guo měi guó jiā ná dà yīng guó fǎ guó dé guó rì běn
过美国、加拿大、英国、法国、德国、日本、
mǎ lái xī yà hé ào dà lì yà kě shì tā méi yǒu qù guo nán fēi
马来西亚和澳大利亚，可是她没有去过南非。
Answer the questions.
zhōng guó zài nǎr zhōng guó zài yà zhōu
(1) 中国在哪儿？中国在亚洲。
jiā ná dà zài nǎr
(2) 加拿大在哪儿？
fǎ guó zài nǎr
(3) 法国在哪儿？
dé guó zài nǎr
(4) 德国在哪儿？
ào dà lì yà zài nǎr
(5) 澳大利亚在哪儿？
xiānggǎng zài nǎr
(6) 香港在哪儿？
rì běn zài nǎr
(7) 日本在哪儿？
lǐ nán qù guo yīng guó ma
(8) 李南去过英国吗？
lǐ nán qù guo nán fēi ma
(9) 李南去过南非吗？
lǐ nán yǒu méi yǒu qù guo xiānggǎng
(10) 李南有没有去过香港？

New Words

1. yà 亚（亞） second; Asia
2. zhōu 洲 continent　yà zhōu 亚洲 Asia
3. jiā 加 add
4. ná 拿 take　jiā ná dà 加拿大 Canada
5. měi 美 beautiful　měi guó 美国 U.S.A.
6. bā 巴 hope earnestly　bā xī 巴西 Brazil
7. nán 南 south
   nán měi zhōu 南美洲 Continent of South America
   běi měi zhōu 北美洲 Continent of North America
8. fǎ 法 law; method
   fǎ guó 法国 France
9. dé 德 morals; virtue
   dé guó 德国 Germany
10. fēi 非 wrong; not; no
    fēi zhōu 非洲 Africa
11. ōu 欧（歐） Europe; surname
    ōu zhōu 欧洲 Europe
12. nán fēi 南非 South Africa
13. lái 来（來） come
    mǎ lái xī yà 马来西亚 Malaysia
14. yáng 洋 ocean
    dà yáng zhōu 大洋洲 Australasia; Oceania
15. ào 澳 inlet of the sea; bay
16. lì 利 sharp; advantage; benefit
    ào dà lì yà 澳大利亚 Australia
17. qù 去 go
18. guò 过（過） pass; cross over; particle
    qù guo 去过 have been to
19. hěn duō 很多 many
20. guó jiā 国家 country
21. kě shì 可是 but

1 Say the following country names in Chinese.

1. China
2. Japan
3. Malaysia
4. Canada
5. France
6. Australia
7. Germany
8. U.S.A.
9. England
10. South Africa

2 Match the Chinese with the pinyin.

(1) 法国	(a) jiānádà
(2) 德国	(b) àodàlìyà
(3) 加拿大	(c) fǎguó
(4) 澳大利亚	(d) déguó
(5) 欧洲	(e) mǎláixīyà
(6) 美洲	(f) nánfēi
(7) 亚洲	(g) ōuzhōu
(8) 马来西亚	(h) yàzhōu
(9) 南非	(i) fēizhōu
(10) 非洲	(j) měizhōu
(11) 巴西	(k) bāxī

天天练 Speaking Practice

Read aloud.

yī jiǔ jiǔ jiǔ nián shí èr yuè èr shí wǔ rì
(1) 一九九九年十二月二十五日

yī jiǔ sì jiǔ nián shí yuè yī rì
(2) 一九四九年十月一日

yī jiǔ jiǔ qī nián qī yuè yī rì
(3) 一九九七年七月一日

yī jiǔ jiǔ bā nián shí yī yuè èr shí rì
(4) 一九九八年十一月二十日

yī jiǔ liù qī nián jiǔ yuè jiǔ rì
(5) 一九六七年九月九日

Say the following dates in Chinese.

(1) July 13, 1954

(2) August 22, 1985

(3) May 1, 1970

(4) October 5, 1989

3 Answer the following questions.

nǐ qù guo shàng hǎi ma
(1) 你去过上海吗？

nǐ qù guo běi jīng ma
(2) 你去过北京吗？

nǐ qù guo xī ān ma
(3) 你去过西安吗？

nǐ qù guo xiāng gǎng ma
(4) 你去过香港吗？

nǐ qù guo rì běn ma
(5) 你去过日本吗？

nǐ qù guo bā xī ma
(6) 你去过巴西吗？

nǐ qù guo dé guó ma
(7) 你去过德国吗？

nǐ qù guo fǎ guó ma
(8) 你去过法国吗？

nǐ qù guo měi guó ma
(9) 你去过美国吗？

nǐ qù guo jiā ná dà ma
(10) 你去过加拿大吗？

nǐ qù guo nán fēi ma
(11) 你去过南非吗？

nǐ qù guo ào dà lì yà ma
(12) 你去过澳大利亚吗？

nǐ qù guo mǎ lái xī yà ma
(13) 你去过马来西亚吗？

NOTE

guò
"过" a particle indicating past experience.

wǒ xué guo rì wén
(a) 我学过日文。

I have learned Japanese before.

nǐ qù guo zhōng guó ma
(b) A: 你去过中国吗？

Have you been to China?

qù guo / méi yǒu qù guo
B: 去过。/没有去过。

Yes, I have. / No. I haven't.

4 Match the country with the continent.

zhōng guó
(1) 中国

nán fēi
(2) 南非

ào dà lì yà
(3) 澳大利亚

dé guó
(4) 德国

fǎ guó
(5) 法国

mǎ lái xī yà
(6) 马来西亚

měi guó
(7) 美国

jiā ná dà
(8) 加拿大

yīng guó
(9) 英国

běi měi zhōu
(a) 北美洲

yà zhōu
(b) 亚洲

dà yáng zhōu
(c) 大洋洲

fēi zhōu
(d) 非洲

ōu zhōu
(e) 欧洲

5 Do a survey by asking five classmates the following questions. Complete the table.

	Tally	Summary
nǐ qù guo fǎ guó ma (1)你去过法国吗?	正	五个人去过法国。
nǐ qù guo yīng guó ma (2)你去过英国吗?		
nǐ qù guo bā xī ma (3)你去过巴西吗?		
nǐ qù guo jiā ná dà ma (4)你去过加拿大吗?		
nǐ qù guo měi guó ma (5)你去过美国吗?		
nǐ qù guo rì běn ma (6)你去过日本吗?		
nǐ qù guo dé guó ma (7)你去过德国吗?		
nǐ qù guo mǎ lái xī yà ma (8)你去过马来西亚吗?		
nǐ qù guo ào dà lì yà ma (9)你去过澳大利亚吗?		
nǐ qù guo zhōng guó ma (10)你去过 中 国吗?		

6 Read aloud.

j q x

(1) ji qi xi
(2) jia qia xia
(3) jin qin xin
(4) jiu qiu xiu

(5) jīqì qīnqi xiǎoqì
(6) jiǎnjià qīngxǐ xìnxī
(7) jiějué qiúxué xìngqù

7 CD T23 Listen to the recording. Fill in the blanks with the countries given.

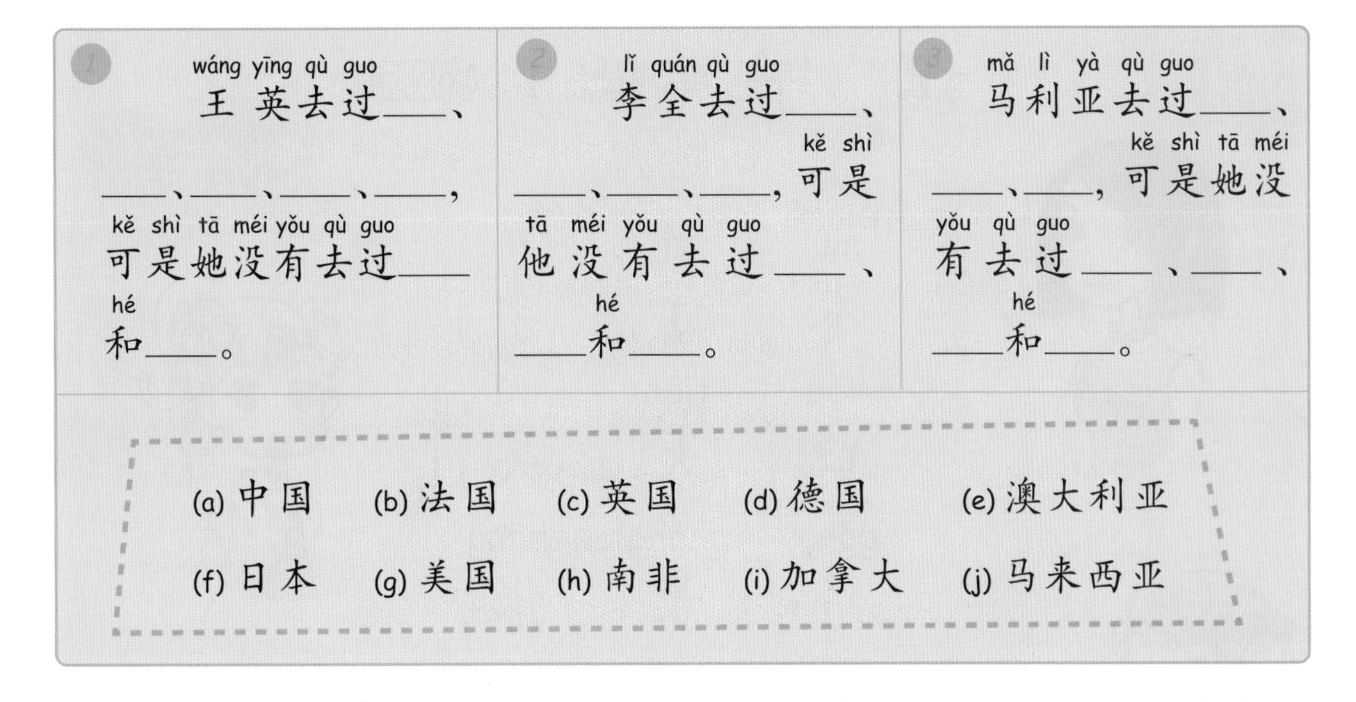

1 wáng yīng qù guo
王英去过___、___、___、___、___，kě shì tā méi yǒu qù guo 可是她没有去过___ hé 和___。

2 lǐ quán qù guo
李全去过___、___、___、___，kě shì 可是 tā méi yǒu qù guo 他没有去过___、___ hé 和___。

3 mǎ lì yà qù guo
马利亚去过___、___、___，kě shì tā méi 可是她没 yǒu qù guo 有去过___、___、___ hé 和___。

(a) 中国 (b) 法国 (c) 英国 (d) 德国 (e) 澳大利亚
(f) 日本 (g) 美国 (h) 南非 (i) 加拿大 (j) 马来西亚

8 Make new dialogues.

Example

nǐ qù guo měi guó ma
A: 你去过美国吗？

méi yǒu kě shì wǒ qù guo jiā ná dà
B: 没有，可是我去过加拿大。

měi guó, jiā ná dà
美国，加拿大

1 shàng hǎi, běi jīng
上海，北京

2 zhōng guó, rì běn
中国，日本

wǒ xìng lǐ
我姓李。

识字(四) CD T24

wǒ xìng zhāng
我姓张。

mù zǐ lǐ
木 子 李,

kǒu tiān wú
口 天 吴,

gōng cháng zhāng
弓 长 张,

gǔ yuè hú
古 月 胡。

wǒ xìng wú
我姓吴。

wǒ xìng hú
我姓胡。

New Words

1. zǐ 子 son
2. wú 吴(吳) surname
3. gōng 弓 bow
4. zhāng 张(張) surname; measure word
5. gǔ 古 ancient
6. hú 胡 surname

第十二课 他去过很多国家

CD T25

tā shì wǒ de bǐ yǒu tā jiào tián jiā yīng tā jīn nián shí yī suì tā shì zhōng xué
他是我的笔友。他叫田家英。他今年十一岁。他是中学
shēng shàng qī nián jí tā qù guo hěn duō dì fang tā qù guo ōu zhōu měi zhōu
生，上七年级。他去过很多地方。他去过欧洲、美洲、
yà zhōu hé fēi zhōu tā qù guo hěn duō guó jiā tā qù guo yīng guó dé guó
亚洲和非洲。他去过很多国家。他去过英国、德国、
měi guó jiā ná dà rì běn mǎ lái xī yà nán fēi děng guó jiā tā bà
美国、加拿大、日本、马来西亚、南非等国家。他爸
ba mā ma dōu shì zhōng guó rén dàn shì tā chū shēng zài fǎ guó tā men
爸、妈妈都是中国人，但是他出生在法国。他们
yì jiā rén xiàn zài zhù zài běi jīng tā bà ba mā ma
一家人现在住在北京。他爸爸、妈妈
dōu gōng zuò
都工作。

True or false?

tián jiā yīng shì xiǎo xué shēng
( ) (1) 田家英是小学生。
tā shàng jiǔ nián jí
( ) (2) 他上九年级。
tā qù guo wǔ ge guó jiā
( ) (3) 他去过五个国家。
tā bà ba mā ma dōu shì zhōng guó rén
( ) (4) 他爸爸、妈妈都是中国人。
tián jiā yīng chū shēng zài běi jīng
( ) (5) 田家英出生在北京。
tā men yì jiā rén xiàn zài zhù zài fǎ guó
( ) (6) 他们一家人现在住在法国。
tā bà ba mā ma dōu bù gōng zuò
( ) (7) 他爸爸、妈妈都不工作。

New Words

1. bǐ 笔（筆）pen　bǐ yǒu 笔友 penpal
2. dì 地 earth; fields; ground
   dì fang 地方 place
3. děng 等 etc.; rank; wait
4. dàn 但 but; yet　dàn shì 但是 but
5. chū 出 out; exit　chū shēng 出生 be born
6. xiàn 现（現）present
   xiàn zài 现在 now

1 Group the countries.

(a) ào dà lì yà 澳大利亚　(b) zhōng guó 中国　(c) rì běn 日本
(d) měi guó 美国　(e) jiā ná dà 加拿大　(f) yīng guó 英国
(g) fǎ guó 法国　(h) dé guó 德国　(i) mǎ lái xī yà 马来西亚
(j) nán fēi 南非

(1) yà zhōu 亚洲 ________
(2) ōu zhōu 欧洲 ________
(3) dà yáng zhōu 大洋洲 ________
(4) běi měi zhōu 北美洲 ________
(5) fēi zhōu 非洲 ________

2 Read aloud.

zh ch sh r

(1)	zhi	chi	shi	ri
(2)	zhan	chan	shan	ran
(3)	zhen	chen	shen	ren
(4)	zhui	chui	shui	rui

(5)	zhīchí	chúnzhēn	shōushi	rènzhēn
(6)	zhǔnshí	chāochē	shāngrén	rèshēn
(7)	zhírì	chènshān	shēngchǎn	rìchū

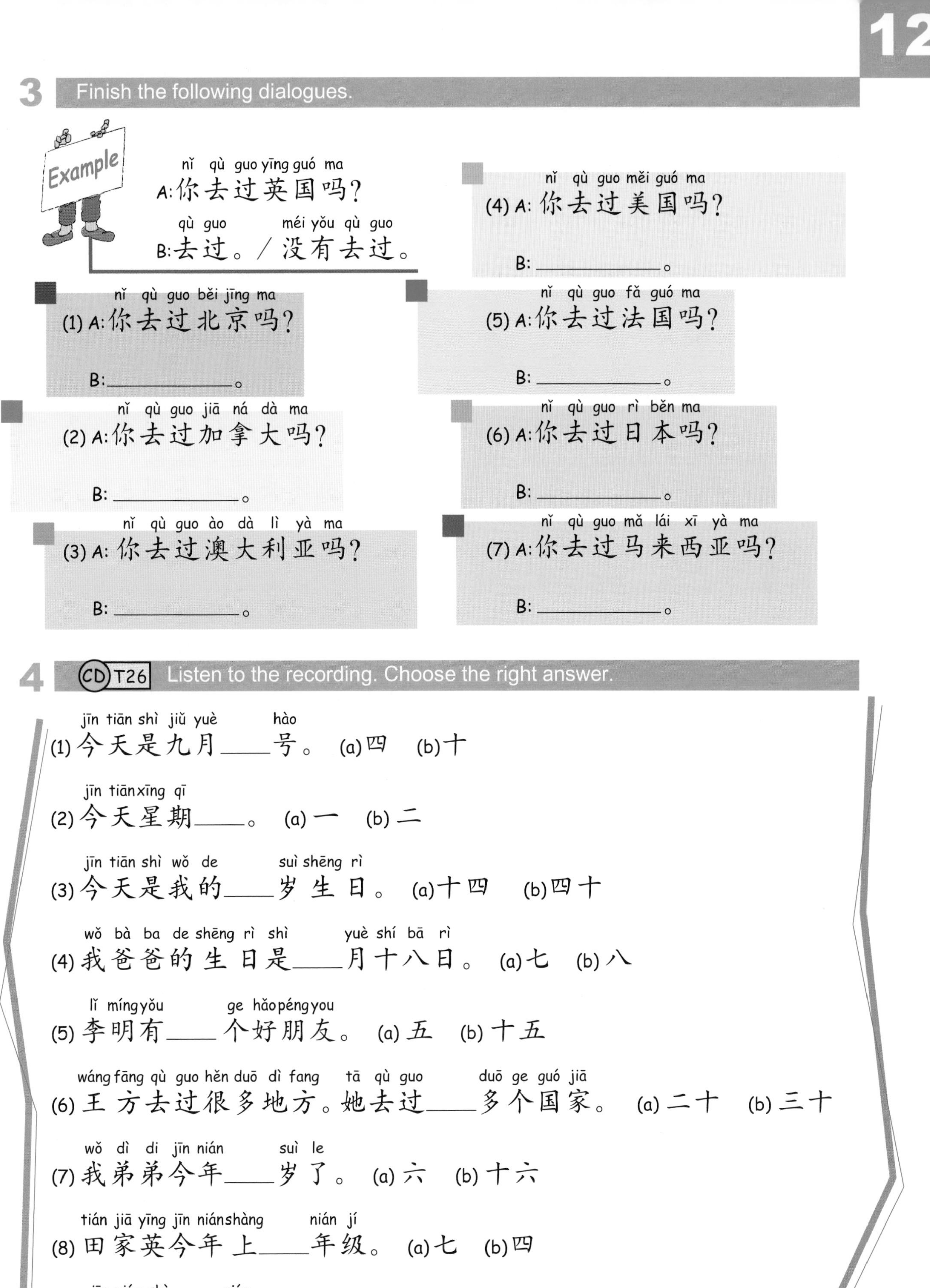

3 Finish the following dialogues.

Example

nǐ qù guo yīng guó ma
A:你去过英国吗？

qù guo méi yǒu qù guo
B:去过。/没有去过。

nǐ qù guo běi jīng ma
(1) A:你去过北京吗？
B:________。

nǐ qù guo jiā ná dà ma
(2) A:你去过加拿大吗？
B:________。

nǐ qù guo ào dà lì yà ma
(3) A:你去过澳大利亚吗？
B:________。

nǐ qù guo měi guó ma
(4) A:你去过美国吗？
B:________。

nǐ qù guo fǎ guó ma
(5) A:你去过法国吗？
B:________。

nǐ qù guo rì běn ma
(6) A:你去过日本吗？
B:________。

nǐ qù guo mǎ lái xī yà ma
(7) A:你去过马来西亚吗？
B:________。

4 CD T26 Listen to the recording. Choose the right answer.

jīn tiān shì jiǔ yuè hào
(1) 今天是九月____号。 (a)四 (b)十

jīn tiān xīng qī
(2) 今天星期____。 (a)一 (b)二

jīn tiān shì wǒ de suì shēng rì
(3) 今天是我的____岁生日。 (a)十四 (b)四十

wǒ bà ba de shēng rì shì yuè shí bā rì
(4) 我爸爸的生日是____月十八日。 (a)七 (b)八

lǐ míng yǒu ge hǎo péng you
(5) 李明有____个好朋友。 (a)五 (b)十五

wáng fāng qù guo hěn duō dì fang tā qù guo duō ge guó jiā
(6) 王方去过很多地方。她去过____多个国家。 (a)二十 (b)三十

wǒ dì di jīn nián suì le
(7) 我弟弟今年____岁了。 (a)六 (b)十六

tián jiā yīng jīn nián shàng nián jí
(8) 田家英今年上____年级。 (a)七 (b)四

jīn nián shì nián
(9) 今年是____年。 (a)二〇〇〇 (b)二〇〇一

5 Ask your partner similar questions and then summarize all the answers.

nǐ qù guo yīng guó ma
(1) 你去过英国吗？

nǐ qù guo fǎ guó ma
(2) 你去过法国吗？

nǐ qù guo rì běn ma
(3) 你去过日本吗？

nǐ qù guo nán fēi ma
(4) 你去过南非吗？

⋮

Summary: 他（她）去过……

但是他（她）没有去过……

6 Give country names that you know for each continent.

yà zhōu
(1) 亚洲：________________

ōu zhōu
(2) 欧洲：________________

nán měi zhōu
(3) 南美洲：________________

fēi zhōu
(4) 非洲：________________

dà yáng zhōu
(5) 大洋洲：________________

7 Read aloud.

(1) 地方 dìfang
(2) 出生 chūshēng
(3) 笔友 bǐyǒu
(4) 现在 xiànzài
(5) 但是 dànshì
(6) 星期 xīngqī
(7) 国家 guójiā
(8) 很多 hěnduō
(9) 年级 niǎnjí
(10) 方言 fāngyán
(11) 历史 lìshǐ
(12) 一齐 yìqí
(13) 人口 rénkǒu
(14) 工作 gōngzuò

8 Answer the following questions.

jīn tiān shì jǐ yuè jǐ hào
(1) 今天是几月几号？

jīn tiān xīng qī jǐ
(2) 今天星期几？

nǐ duō dà le
(3) 你多大了？

nǐ chū shēng zài nǎr
(4) 你出生在哪儿？

nǐ qù guo hěn duō guó jiā ma
(5) 你去过很多国家吗？

nǐ qù guo rì běn ma
(6) 你去过日本吗？

nǐ yǒu méi yǒu qù guo dé guó
(7) 你有没有去过德国？

nǐ yǒu méi yǒu qù guo ào dà lì yà
(8) 你有没有去过澳大利亚？

nǐ yǒu méi yǒu bǐ yǒu
(9) 你有没有笔友？

nǐ xiàn zài zhù zài nǎr
(10) 你现在住在哪儿？

天天练 Speaking Practice

Read aloud.

xīng qī yī
星期一

xīng qī èr
星期二

xīng qī sān
星期三

xīng qī sì
星期四

xīng qī wǔ
星期五

xīng qī liù
星期六

xīng qī rì tiān
星期日（天）

一 上学
二 上学
三 上学
四 上学
五 上学
六

识字（五） CD T27

nǚ zǐ hǎo
女 子 好，

tián lì nán
田 力 男，

mén kǒu wèn
门 口 问，

xiǎo dà jiān
小 大 尖。

New Words

1. nǚ 女 female
2. lì 力 power; strength
3. nán 男 male
4. mén 门（門）door
5. wèn 问（問）ask
6. jiān 尖 tip; pointed; sharp

第十三课　中国人说汉语

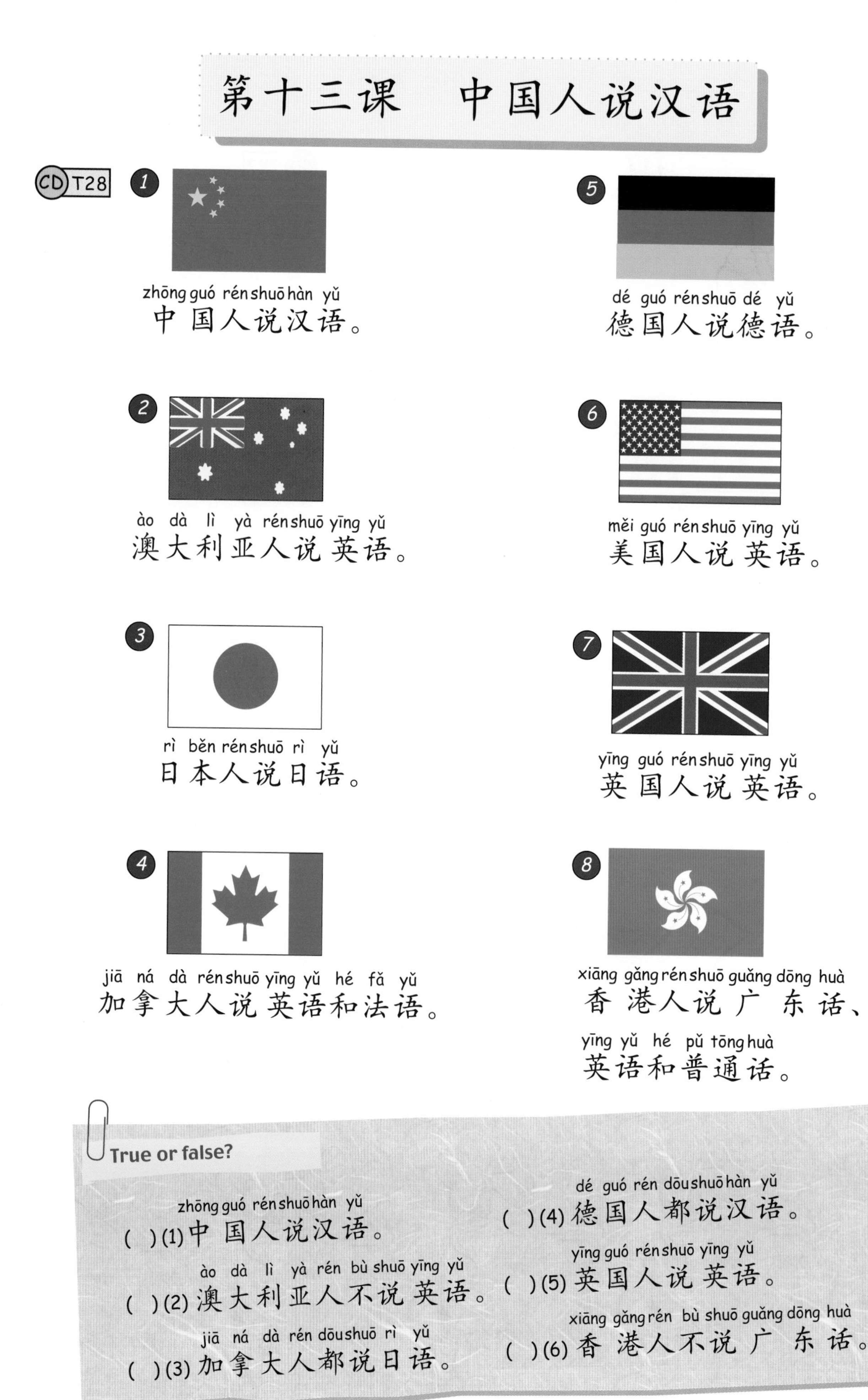

CD T28

1. zhōng guó rén shuō hàn yǔ
中国人说汉语。

2. ào dà lì yà rén shuō yīng yǔ
澳大利亚人说英语。

3. rì běn rén shuō rì yǔ
日本人说日语。

4. jiā ná dà rén shuō yīng yǔ hé fǎ yǔ
加拿大人说英语和法语。

5. dé guó rén shuō dé yǔ
德国人说德语。

6. měi guó rén shuō yīng yǔ
美国人说英语。

7. yīng guó rén shuō yīng yǔ
英国人说英语。

8. xiāng gǎng rén shuō guǎng dōng huà、yīng yǔ hé pǔ tōng huà
香港人说广东话、英语和普通话。

True or false?

( ) (1) zhōng guó rén shuō hàn yǔ
中国人说汉语。

( ) (2) ào dà lì yà rén bù shuō yīng yǔ
澳大利亚人不说英语。

( ) (3) jiā ná dà rén dōu shuō rì yǔ
加拿大人都说日语。

( ) (4) dé guó rén dōu shuō hàn yǔ
德国人都说汉语。

( ) (5) yīng guó rén shuō yīng yǔ
英国人说英语。

( ) (6) xiāng gǎng rén bù shuō guǎng dōng huà
香港人不说广东话。

New Words

shuō
1 说（説）speak; talk; say

hàn
2 汉（漢）the Han nationality

yǔ
3 语（語）language

hàn yǔ
汉语 Chinese

yīng yǔ
英语 English

rì yǔ
日语 Japanese

fǎ yǔ
法语 French

dé yǔ
德语 German

guǎng
4 广（廣）broad

dōng
5 东（東）east

guǎng dōng
广东 Guangdong, a province in China

huà
6 话（話）word; talk

guǎng dōng huà
广东话 Cantonese

pǔ
7 普 general; universal

tōng
8 通 open; through

pǔ tōng huà
普通话 Putonghua

1 CD T29 Listen to the recording. Circle the correct pinyin.

(1) (a) shuóhuà (b) shuōhuà

(2) (a) yīnyǔ (b) yīngyǔ

(3) (a) guāngdōng (b) guǎngdōng

(4) (a) hānyǔ (b) hànyǔ

(5) (a) bǐyǒu (b) bǐyǔ

(6) (a) dǐfāng (b) dìfang

(7) (a) dànshì (b) dànshī

(8) (a) chūshēng (b) chúshēng

2 True or false?

yīng guó rén shuō hàn yǔ
( ) (1) 英国人说汉语。

bā xī rén shuō dé yǔ
( ) (2) 巴西人说德语。

zhōng guó rén dōu shuō yīng yǔ
( ) (3) 中国人都说英语。

rì běn rén shuō rì yǔ
( ) (4) 日本人说日语。

jiā ná dà rén dōu shuō fǎ yǔ
( ) (5) 加拿大人都说法语。

mǎ lái xī yà rén shuō rì yǔ
( ) (6) 马来西亚人说日语。

nán fēi rén shuō yīng yǔ
( ) (7) 南非人说英语。

xiāng gǎng rén bù shuō pǔ tōng huà
( ) (8) 香港人不说普通话。

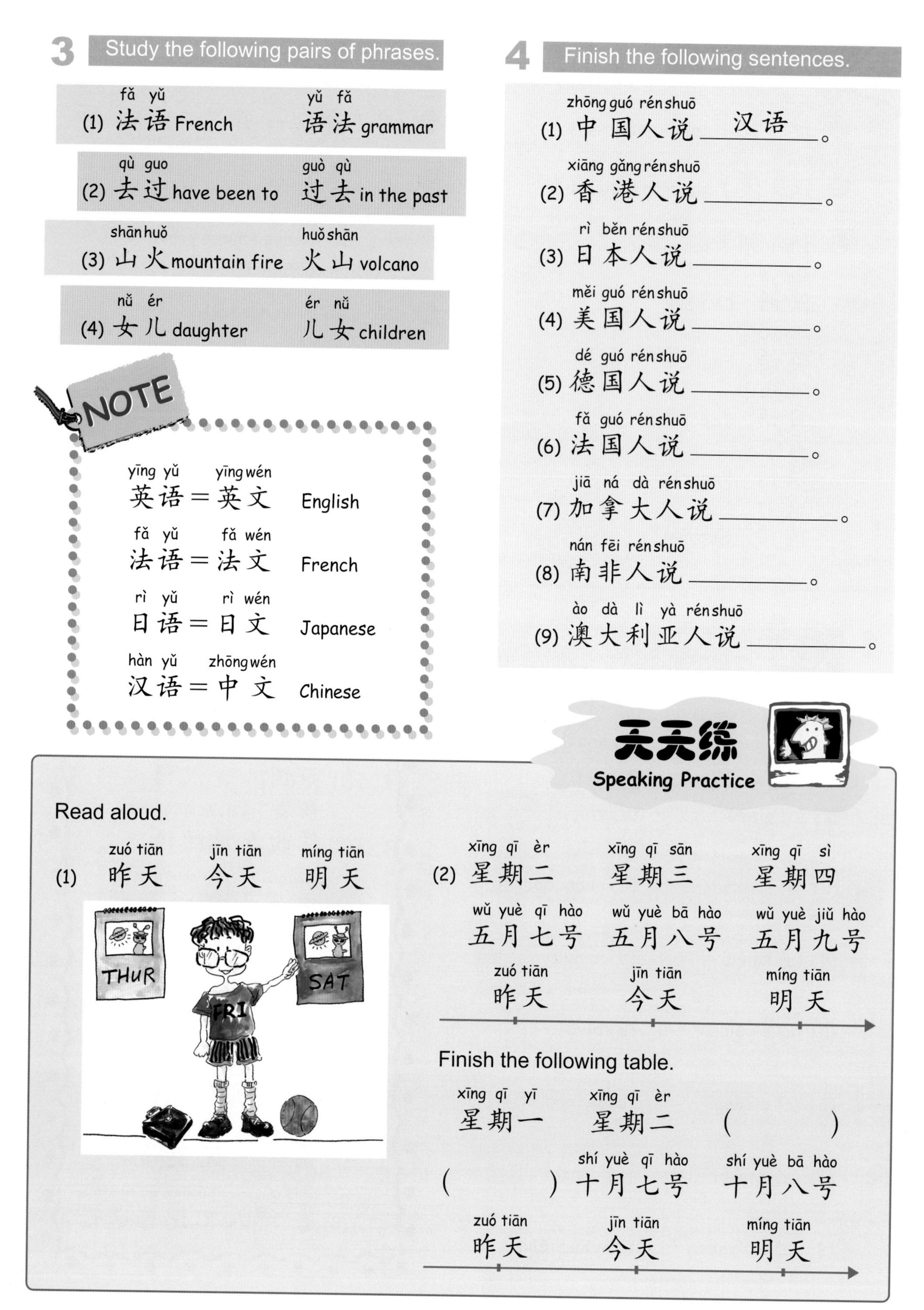

3 Study the following pairs of phrases.

(1)	fǎ yǔ 法语 French	yǔ fǎ 语法 grammar
(2)	qù guo 去过 have been to	guò qù 过去 in the past
(3)	shān huǒ 山火 mountain fire	huǒ shān 火山 volcano
(4)	nǚ ér 女儿 daughter	ér nǚ 儿女 children

NOTE

yīng yǔ 英语 = yīng wén 英文	English
fǎ yǔ 法语 = fǎ wén 法文	French
rì yǔ 日语 = rì wén 日文	Japanese
hàn yǔ 汉语 = zhōng wén 中文	Chinese

4 Finish the following sentences.

(1) zhōng guó rén shuō 中国人说 __汉语__。

(2) xiāng gǎng rén shuō 香港人说 ________。

(3) rì běn rén shuō 日本人说 ________。

(4) měi guó rén shuō 美国人说 ________。

(5) dé guó rén shuō 德国人说 ________。

(6) fǎ guó rén shuō 法国人说 ________。

(7) jiā ná dà rén shuō 加拿大人说 ________。

(8) nán fēi rén shuō 南非人说 ________。

(9) ào dà lì yà rén shuō 澳大利亚人说 ________。

天天练 Speaking Practice

Read aloud.

(1) zuó tiān 昨天　jīn tiān 今天　míng tiān 明天

(2) xīng qī èr 星期二　xīng qī sān 星期三　xīng qī sì 星期四

wǔ yuè qī hào 五月七号　wǔ yuè bā hào 五月八号　wǔ yuè jiǔ hào 五月九号

zuó tiān 昨天　jīn tiān 今天　míng tiān 明天

Finish the following table.

xīng qī yī 星期一　xīng qī èr 星期二　(　　　)

(　　　)　shí yuè qī hào 十月七号　shí yuè bā hào 十月八号

zuó tiān 昨天　jīn tiān 今天　míng tiān 明天

5 CD T30 Listen to the recording. Choose the right answer.

tā jiào shǐ xiǎo quán
他叫史小全。
tā jīn nián shí wǔ suì
他今年十五岁，
shàng shí nián jí
上十年级。

tā chūshēng zài
(1) 他出生在________。

(a) 英国 (b) 法国

tā shì
(2) 他是________。

(a) 美国人 (b) 中国人

tā qù guo hěn duō dì fang tā qù guo
(3) 他去过很多地方。他去过______。

(a) 美国、德国和日本等国家

(b) 美国、加拿大和日本等国家

tā shuō
(4) 他说________。

(a) 英语、日语和法语

(b) 英语、汉语和法语

tā men yì jiā rén xiàn zài zhù zài
(5) 他们一家人现在住在________。

(a) 美国 (b) 法国

6 Write the pinyin for the following phrases.

(1) 英语 yīngyǔ

(2) 法语

(3) 德文

(4) 日文

(5) 广东话

(6) 普通话

(7) 中文

7 Read aloud.

z c s

(1)	zi	ci	si
(2)	zai	cai	sai
(3)	zang	cang	sang
(4)	zun	cun	sun
(5)	zìsī	cáizǐ	sùsuàn
(6)	zǎocān	cèsuǒ	sǎngzi
(7)	zàisān	cāozá	sāncān

8 Match the numbers with the countries on the map.

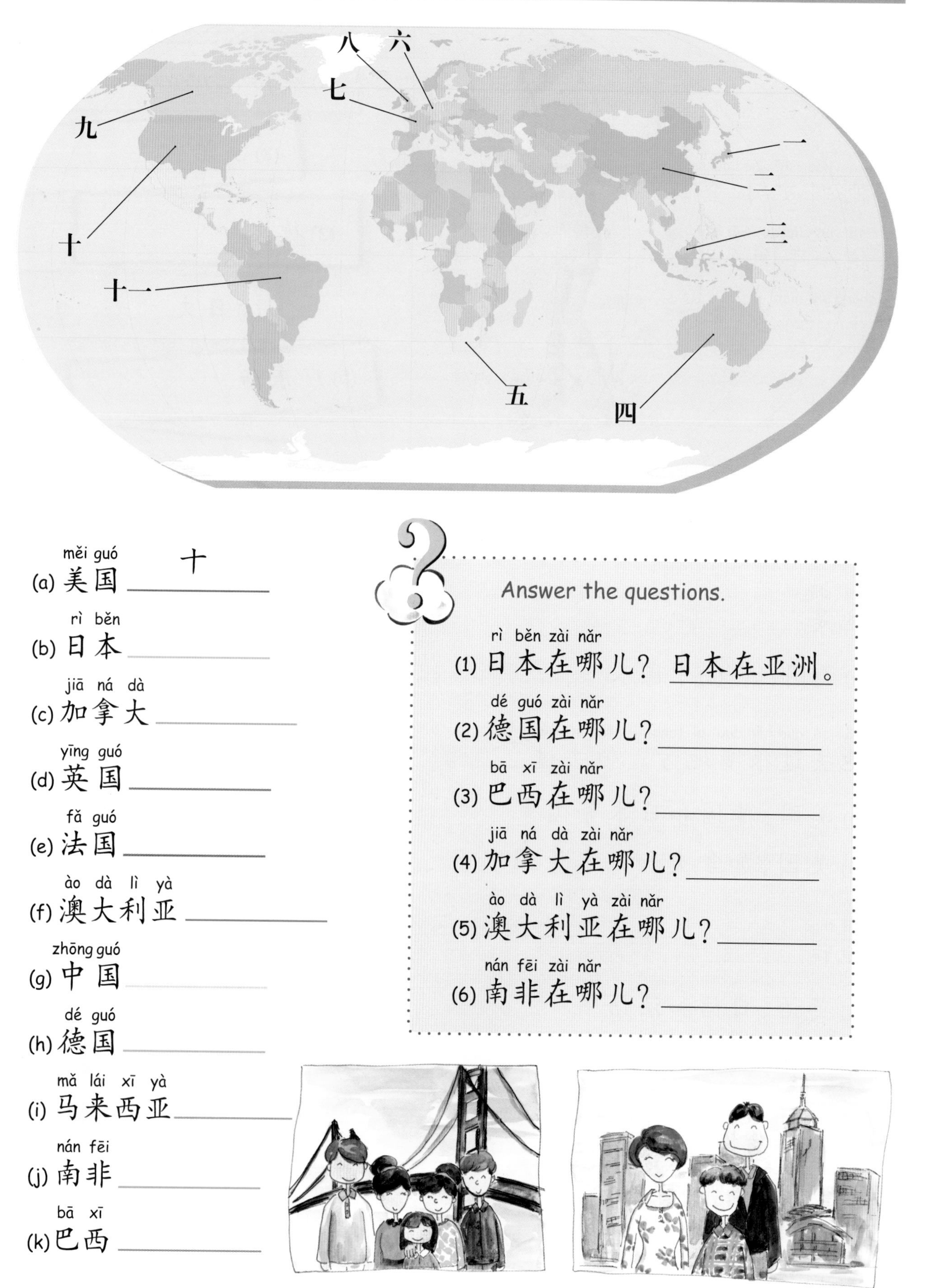

(a) měi guó 美国 十

(b) rì běn 日本 ______

(c) jiā ná dà 加拿大 ______

(d) yīng guó 英国 ______

(e) fǎ guó 法国 ______

(f) ào dà lì yà 澳大利亚 ______

(g) zhōng guó 中国 ______

(h) dé guó 德国 ______

(i) mǎ lái xī yà 马来西亚 ______

(j) nán fēi 南非 ______

(k) bā xī 巴西 ______

Answer the questions.

(1) rì běn zài nǎr 日本在哪儿？ 日本在亚洲。

(2) dé guó zài nǎr 德国在哪儿？______

(3) bā xī zài nǎr 巴西在哪儿？______

(4) jiā ná dà zài nǎr 加拿大在哪儿？______

(5) ào dà lì yà zài nǎr 澳大利亚在哪儿？______

(6) nán fēi zài nǎr 南非在哪儿？______

识 字（六） CD T31

bà	ba	mā	ma
爸	爸	妈	妈，
xiōng	dì	jiě	mèi
兄	弟	姐	妹。
nán	nǚ	lǎo	shào
男	女	老	少，
qīn	péng	hǎo	yǒu
亲	朋	好	友。

New Words

1. lǎo 老 old
2. shào 少 young
3. qīn 亲（親） parent; relative

   qīn péng hǎo yǒu 亲朋好友 close friends

第十四课　她会说好几种语言

CD T32

tā jiào lǐ xiǎo wén　tā chū shēng zài dé guó
她叫李小文。她出生在德国。

tā jīn nián shí èr suì　shàng bā nián jí　tā méi yǒu
她今年十二岁，上八年级。她没有

xiōng dì jiě mèi　tā bà ba　mā ma dōu zài dé guó gōng
兄弟姐妹。她爸爸、妈妈都在德国工

zuò　tā yé ye　nǎi nai yě zhù zài dé guó　tā qù
作。她爷爷、奶奶也住在德国。她去

guo shì jiè shang hěn duō guó jiā　tā huì shuō hǎo jǐ zhǒng
过世界上很多国家。她会说好几种

yǔ yán　tā huì shuō dé yǔ　yīng yǔ hé hàn yǔ　tā
语言。她会说德语、英语和汉语。她

bú huì shuō fǎ yǔ　dàn shì tā xiǎng xué fǎ yǔ
不会说法语，但是她想学法语。

True or false?

lǐ xiǎo wén chū shēng zài běi jīng
(　) (1) 李小文出生在北京。

tā jīn nián bā suì
(　) (2) 她今年八岁。

tā shàng bā nián jí
(　) (3) 她上八年级。

tā bà ba　mā ma dōu zài yīng guó gōng zuò
(　) (4) 她爸爸、妈妈都在英国工作。

tā qù guo shì jiè shang hěn duō dì fang
(　) (5) 她去过世界上很多地方。

tā huì shuō sì zhǒng yǔ yán
(　) (6) 她会说四种语言。

New Words

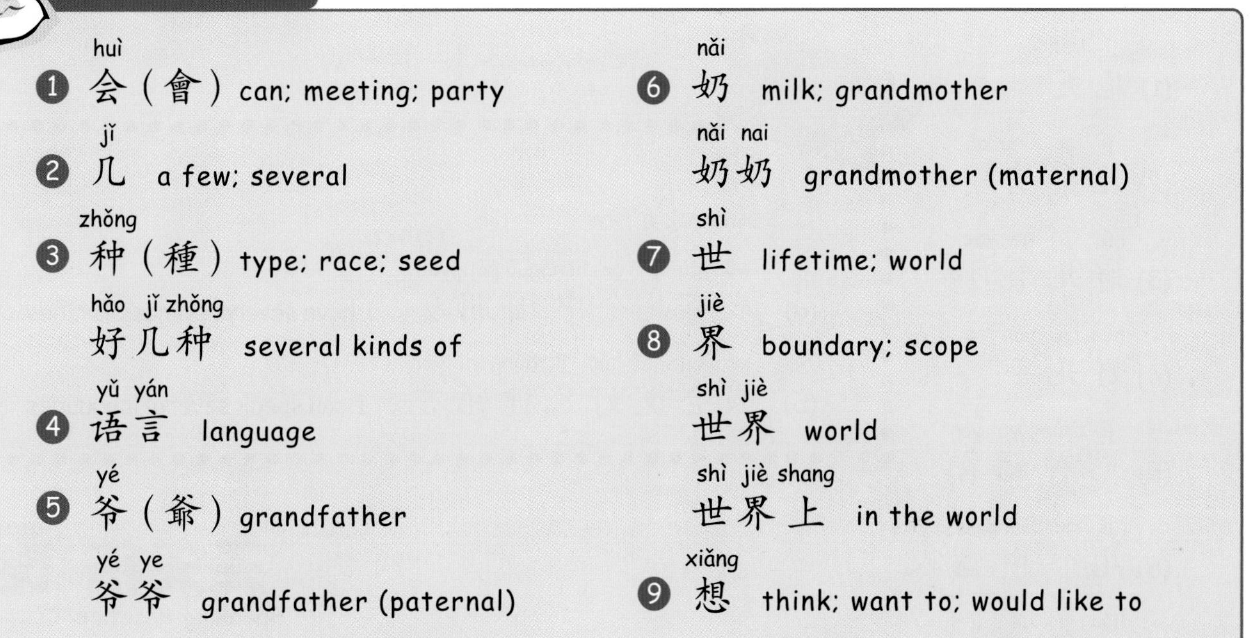

1. 会（會）huì can; meeting; party
2. 几 jǐ a few; several
3. 种（種）zhǒng type; race; seed
   好几种 hǎo jǐ zhǒng several kinds of
4. 语言 yǔ yán language
5. 爷（爺）yé grandfather
   爷爷 yé ye grandfather (paternal)
6. 奶 nǎi milk; grandmother
   奶奶 nǎi nai grandmother (maternal)
7. 世 shì lifetime; world
8. 界 jiè boundary; scope
   世界 shì jiè world
   世界上 shì jiè shang in the world
9. 想 xiǎng think; want to; would like to

1 Match the words with the pinyin.

(1) 想	(a) shìjiè
(2) 奶奶	(b) yéye
(3) 好几种	(c) xiǎng
(4) 爷爷	(d) nǎinai
(5) 会	(e) pǔtōnghuà
(6) 普通话	(f) huì
(7) 笔友	(g) hǎojǐzhǒng
(8) 汉语	(h) bǐyǒu
(9) 世界	(i) hànyǔ

2 CD T33 Listen to the recording. Circle the phrase you hear.

(1) (a)汉语 (b)日语 (c)语言

(2) (a)广东话 (b)英语 (c)东西

(3) (a)今年 (b)今天 (c)明天

(4) (a)出生 (b)出去 (c)出口

(5) (a)地方 (b)土地 (c)田地

(6) (a)日期 (b)学期 (c)星期日

(7) (a)东京 (b)东方 (c)广东

(8) (a)等人 (b)等级 (c)三等

3 Translation.

jǐ tiān
(1) 几天

jǐ ge xīng qī
(2) 几个星期

hǎo jǐ ge yuè
(3) 好几个月

hǎo jǐ nián
(4) 好几年

jǐ zhǒng yǔ yán
(5) 几种语言

jǐ ge zhōng guó rén
(6) 几个中国人

hǎo jǐ ge dì fang
(7) 好几个地方

hǎo jǐ ge xiōng dì jiě mèi
(8) 好几个兄弟姐妹

hǎo jǐ ge guó jiā
(9) 好几个国家

NOTE

jǐ
"几" several; a few

wǒ yǒu jǐ ge zhōng guó péng you
(a) 我有几个中国朋友。I have several Chinese friends.

wǒ huì shuō hǎo jǐ zhǒng yǔ yán
(b) 我会说好几种语言。I can speak several languages.

4 Read aloud.

nǎ ge yuè dà
哪个月大？

yī yuè dà
一月大

sān yuè dà
三月大

wǔ yuè dà
五月大

qī yuè dà
七月大

bā yuè dà
八月大

shí yuè dà
十月大

shí èr yuè dà
十二月大

nǎ ge yuè xiǎo
哪个月小？

èr yuè xiǎo
二月小

sì yuè xiǎo
四月小

liù yuè xiǎo
六月小

jiǔ yuè xiǎo
九月小

shí yī yuè xiǎo
十一月小

dà yuè yǒu sān shí yī tiān
（大月有三十一天，

xiǎo yuè yǒu sān shí tiān
小月有三十天）

天天练 Speaking Practice

Read aloud.

zuó tiān 昨天 — jīn tiān 今天 — míng tiān 明天

Finish the following sentences.

jīn tiān xīng qī èr
(1) 今天星期二。

zuó tiān xīng qī
昨天星期________。

jīn tiān xīng qī wǔ
(2) 今天星期五。

míng tiān xīng qī
明天星期________。

zuó tiān xīng qī rì
(3) 昨天星期日。

jīn tiān xīng qī
今天星期________。

jīn tiān shì shí yuè sān rì
(4) 今天是十月三日。

zuó tiān shì
昨天是________。

zuó tiān shì wǔ yuè shí yī rì
(5) 昨天是五月十一日。

míng tiān shì
明天是________。

5 Work with your partner to complete the dialogue.

nǐ hǎo wǒ jiào zhāng xiǎo dōng
A: 你好！我叫张小东。

nǐ jiào shén me míng zi
你叫什么名字？

B: ____________________

nǐ shì nǎ guó rén
A: 你是哪国人？

B: ____________________

nǐ zhù zài xiāng gǎng ma
A: 你住在香港吗？

B: ____________________

nǐ huì shuō hàn yǔ ma
A: 你会说汉语吗？

B: ____________________

nǐ shàng jǐ nián jí
A: 你上几年级？

nǐ bà ba gōng zuò ma
你爸爸工作吗？

nǐ mā ma gōng zuò ma
你妈妈工作吗？

nǐ qù guo shì jiè shàng shén me guó jiā
你去过世界上什么国家？

nǐ xiǎng xué shén me yǔ yán
你想学什么语言？

⋮

6 Form as many sentences as you can. Write them out.

wáng yuè 王月		xué hàn yǔ 学汉语
lǐ shān 李山		qù fǎ guó 去法国
xiǎo wáng 小王	想	shàng dà xué 上大学
xiǎo lì 小力		lái wǒ jiā 来我家
wú yà wén 吴亚文		qù shàng hǎi gōng zuò 去上海工作
		chū guó 出国

(1) 王月想学汉语。

(2) ____________________

(3) ____________________

(4) ____________________

(5) ____________________

(6) ____________________

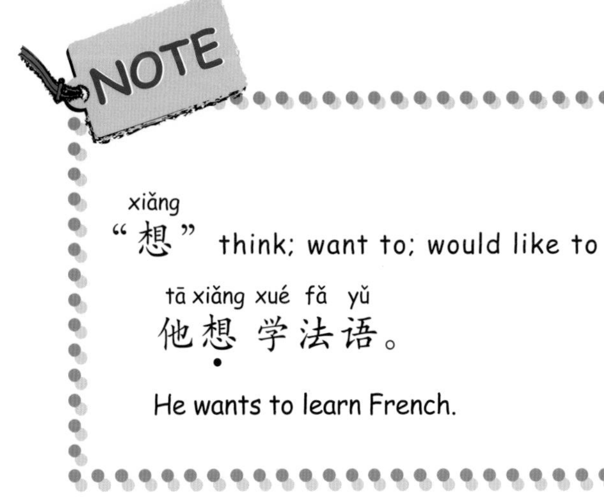

xiǎng
“想” think; want to; would like to

tā xiǎng xué fǎ yǔ
他想学法语。

He wants to learn French.

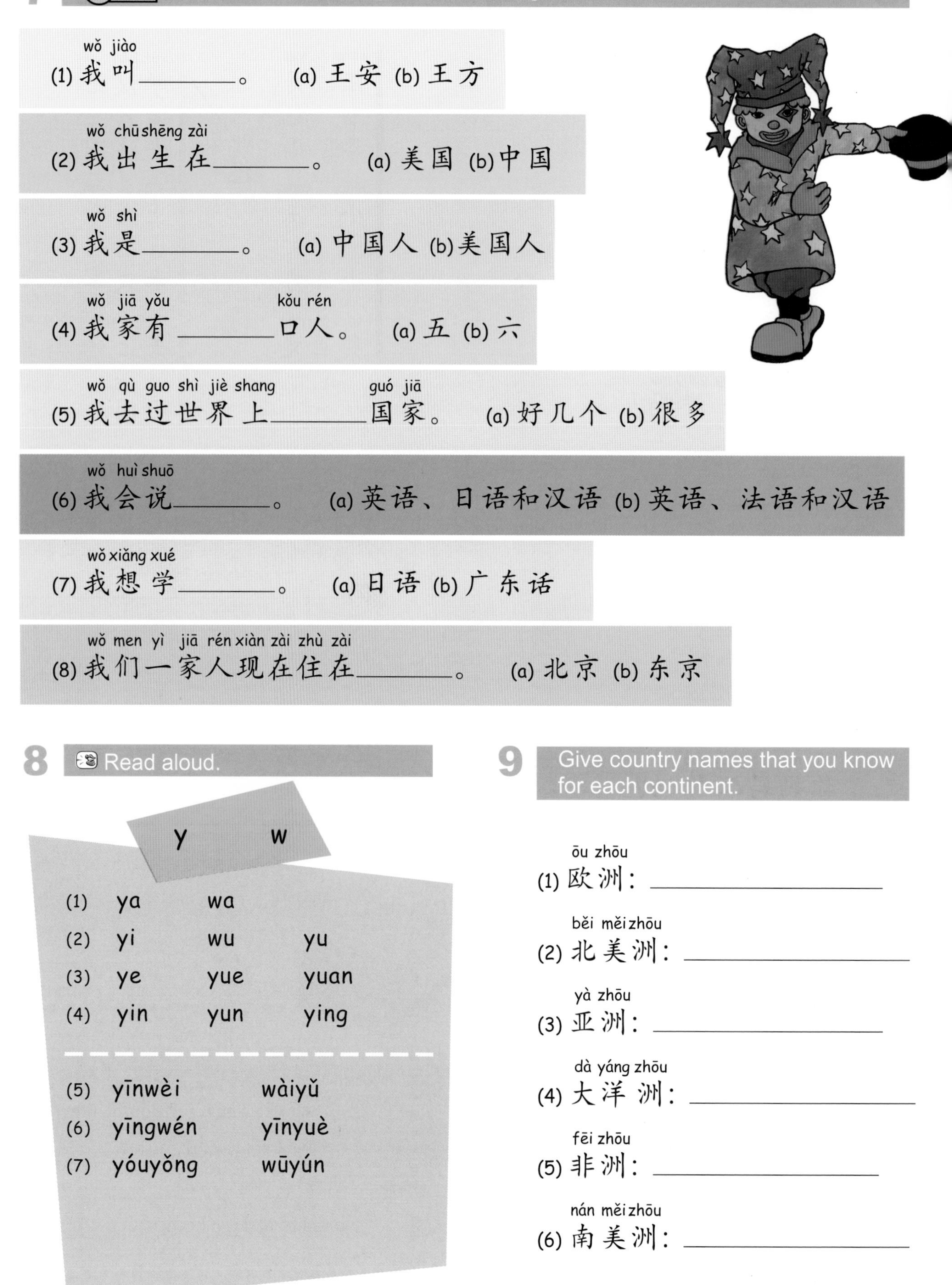

7 CD T34 Listen to the recording. Choose the right answer.

wǒ jiào
(1) 我叫________。 (a) 王安 (b) 王方

wǒ chūshēng zài
(2) 我出生在________。 (a) 美国 (b) 中国

wǒ shì
(3) 我是________。 (a) 中国人 (b) 美国人

wǒ jiā yǒu kǒu rén
(4) 我家有________口人。 (a) 五 (b) 六

wǒ qù guo shì jiè shang guó jiā
(5) 我去过世界上________国家。 (a) 好几个 (b) 很多

wǒ huì shuō
(6) 我会说________。 (a) 英语、日语和汉语 (b) 英语、法语和汉语

wǒ xiǎng xué
(7) 我想学________。 (a) 日语 (b) 广东话

wǒ men yì jiā rén xiàn zài zhù zài
(8) 我们一家人现在住在________。 (a) 北京 (b) 东京

8 Read aloud.

y w

(1)	ya	wa	
(2)	yi	wu	yu
(3)	ye	yue	yuan
(4)	yin	yun	ying

(5)	yīnwèi	wàiyǔ
(6)	yīngwén	yīnyuè
(7)	yóuyǒng	wūyún

9 Give country names that you know for each continent.

ōu zhōu
(1) 欧洲：____________

běi měi zhōu
(2) 北美洲：____________

yà zhōu
(3) 亚洲：____________

dà yáng zhōu
(4) 大洋洲：____________

fēi zhōu
(5) 非洲：____________

nán měi zhōu
(6) 南美洲：____________

10 Read the text and then introduce yourself.

wǒ jiào tián míng wǒ chū shēng zài zhōng guó dàn shì wǒ shì měi guó
我叫田明。我出生在中国，但是我是美国
rén wǒ jīn nián shí èr suì shàng bā nián jí wǒ bà ba shì zhōng guó rén
人。我今年十二岁，上八年级。我爸爸是中国人，
wǒ mā ma shì měi guó rén wǒ huì shuō hǎo jǐ zhǒng yǔ yán hé fāng yán wǒ
我妈妈是美国人。我会说好几种语言和方言。我
huì shuō yīng yǔ hàn yǔ hé guǎng dōng huà
会说英语、汉语和广东话。

wǒ qù guo shì jiè shang hěn duō dì fang wǒ qù guo ōu zhōu yà zhōu
我去过世界上很多地方。我去过欧洲、亚洲
hé dà yáng zhōu dàn shì wǒ méi yǒu qù guo fēi zhōu wǒ men yì jiā rén xiàn
和大洋洲，但是我没有去过非洲。我们一家人现
zài zhù zài měi guó
在住在美国。

Answer the questions.

tā jiào shén me míng zi
(1) 他叫什么名字？

tā chū shēng zài nǎr
(2) 他出生在哪儿？

tā jīn nián duō dà le
(3) 他今年多大了？
shàng jǐ nián jí
上几年级？

tā huì shuō shén me yǔ yán
(4) 他会说什么语言？

tā qù guo shén me dì fang
(5) 他去过什么地方？

tā méi yǒu qù guo shén me dì fang
(6) 他没有去过什么地方？

tā men yì jiā rén xiàn zài zhù zài nǎr
(7) 他们一家人现在住在哪儿？

11 Answer the following questions.

nǐ huì shuō jǐ zhǒng yǔ yán
(1) 你会说几种语言？

nǐ huì shuō dé yǔ ma
(2) 你会说德语吗？

nǐ huì shuō guǎng dōng huà ma
(3) 你会说广东话吗？

nǐ bà ba huì shuō hàn yǔ ma
(4) 你爸爸会说汉语吗？

nǐ xiǎng xué shén me yǔ yán
(5) 你想学什么语言？

nǐ yǒu yé ye nǎi nai ma
(6) 你有爷爷、奶奶吗？

第四单元 工 作

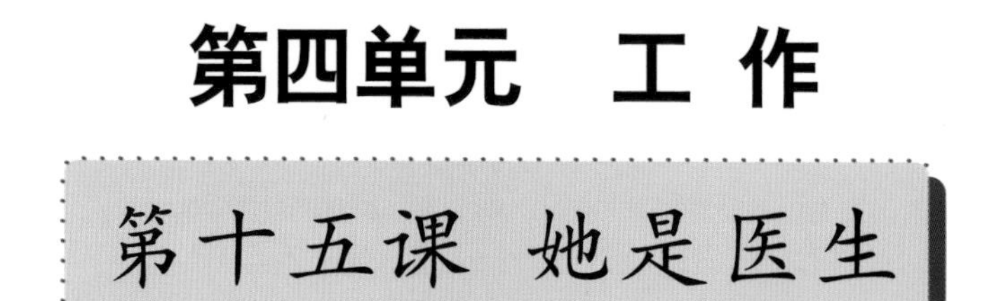

第十五课 她是医生

CD T35

1

lǐ ān shì yī shēng
李安是医生。
tā shì zhōng guó rén tā jīn nián sān shí suì
她是中国人。她今年三十岁。
tā chūshēng zài xiāng gǎng tā huì shuō yīng
她出生在香港。她会说英
yǔ guǎngdōng huà hé pǔ tōng huà
语、广东话和普通话。

2

wáng yáng shì lǎo shī tā jīn
王洋是老师。她今
nián èr shí bā suì tā chū shēng zài rì
年二十八岁。她出生在日
běn tā huì shuō rì yǔ hé yīng yǔ tā
本。她会说日语和英语。她
xiàn zài zhù zài dōng jīng
现在住在东京。

3

wú wén bù gōng zuò tā shì jiā tíng
吴文不工作。她是家庭
zhǔ fù tā chūshēng zài měi guó tā
主妇。她出生在美国。她
xiàn zài zhù zài běi jīng tā huì shuō yīng
现在住在北京。她会说英
yǔ hé hàn yǔ
语和汉语。

4

lǐ dé shēng shì shāng rén tā chū
李德生是商人。他出
shēng zài yīng guó tā zhù zài jiā ná dà
生在英国。他住在加拿大。
tā jīn nián sì shí èr suì
他今年四十二岁。

5

hú wén yuè shì lǜ shī tā shì fǎ guó
胡文月是律师。她是法国

rén tā qù guo shì jiè shang hěn duō dì fang
人。她去过世界上很多地方。

tā huì shuō hǎo jǐ zhǒng yǔ yán
她会说好几种语言。

6

zhāng měi yīng shì yín háng jiā tā jīn nián
张美英是银行家。她今年

sān shí liù suì tā shì ào dà lì yà rén tā
三十六岁。她是澳大利亚人。她

yě qù guo hěn duō dì fang tā huì shuō yīng yǔ
也去过很多地方。她会说英语、

fǎ yǔ hé hàn yǔ tā xiàn zài zhù zài xiāng gǎng
法语和汉语。她现在住在香港。

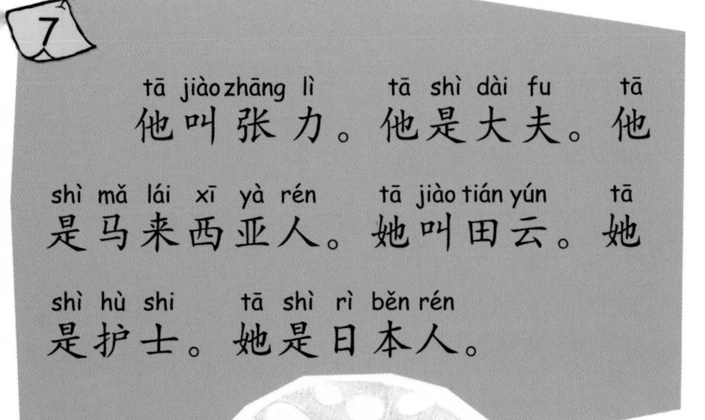

7

tā jiào zhāng lì tā shì dài fu tā
他叫张力。他是大夫。他

shì mǎ lái xī yà rén tā jiào tián yún tā
是马来西亚人。她叫田云。她

shì hù shi tā shì rì běn rén
是护士。她是日本人。

8

tā jiào zhāng míng tā shì sī jī tā
他叫张明。他是司机。他

shì xiāng gǎng rén tā huì shuō guǎng dōng huà hé
是香港人。他会说广东话和

yīng yǔ tā xiǎng xué pǔ tōng huà
英语。他想学普通话。

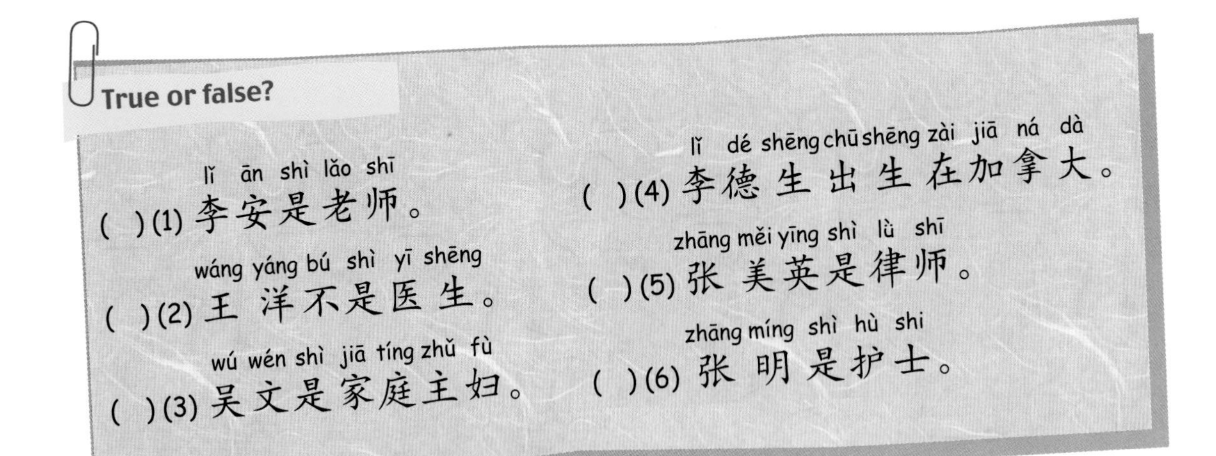

True or false?

lǐ ān shì lǎo shī
( ) (1) 李安是老师。

wáng yáng bú shì yī shēng
( ) (2) 王洋不是医生。

wú wén shì jiā tíng zhǔ fù
( ) (3) 吴文是家庭主妇。

lǐ dé shēng chū shēng zài jiā ná dà
( ) (4) 李德生出生在加拿大。

zhāng měi yīng shì lǜ shī
( ) (5) 张美英是律师。

zhāng míng shì hù shi
( ) (6) 张明是护士。

New Words

1. yī 医（醫） medicine
   yī shēng 医生 doctor
2. shī 师（師） teacher; master
   lǎo shī 老师 teacher
3. dōng jīng 东京 Tokyo
4. tíng 庭 front; courtyard
   jiā tíng 家庭 family
5. zhǔ 主 major
6. fù 妇（婦） woman
   jiā tíng zhǔ fù 家庭主妇 housewife
7. shāng 商 trade; business
   shāng rén 商人 businessman
8. lǜ 律 law; rule — lǜ shī 律师 lawyer
9. yín 银（銀） silver
10. háng 行 profession; business firm
    yín háng 银行 bank
    yín háng jiā 银行家 banker
11. fū 夫 husband; man
    dài fu 大夫 doctor
12. hù 护（護） protect
13. shì 士 scholar — hù shi 护士 nurse
14. sī 司 take charge of
15. jī 机（機） machine; engine
    sī jī 司机 driver

1 CD T36 Listen to the recording. Choose the right answer.

xiǎo yún chū shēng zài
(1) 小云出生在______。

(a) 上海 (b) 北京

tā shàng
(2) 她上______。

(a) 十一年级 (b) 十年级

tā bà ba mā ma dōu
(3) 她爸爸、妈妈都______。

(a) 不工作 (b) 工作

tā bà ba shì
(4) 她爸爸是______。

(a) 律师 (b) 老师

tā mā ma shì
(5) 她妈妈是______。

(a) 商人 (b) 银行家

tā qù guo shì jiè shang guó jiā
(6) 她去过世界上______国家。

(a) 很多 (b) 好几个

tā huì shuō
(7) 她会说______。

(a) 汉语、英语和日语

(b) 英语、汉语和法语

2 Match the Chinese with the pinyin.

(1) 老师	(a) shāngrén
(2) 银行家	(b) lǎoshī
(3) 司机	(c) yīshēng
(4) 护士	(d) lǜshī
(5) 商人	(e) hùshi
(6) 医生	(f) jiātíng zhǔfù
(7) 律师	(g) yínhángjiā
(8) 家庭主妇	(h) sījī

3 Read aloud.

	zh	z
(1)	zhù	zài
(2)	zhāng	zuò
(3)	zhōng	zǎo
(4)	zhànzhù	zànzhù
(5)	zhízhuó	zhìzuò
(6)	zázhì	zàozhǐ
(7)	zhùzuò	zàozuò

4 Make new dialogues.

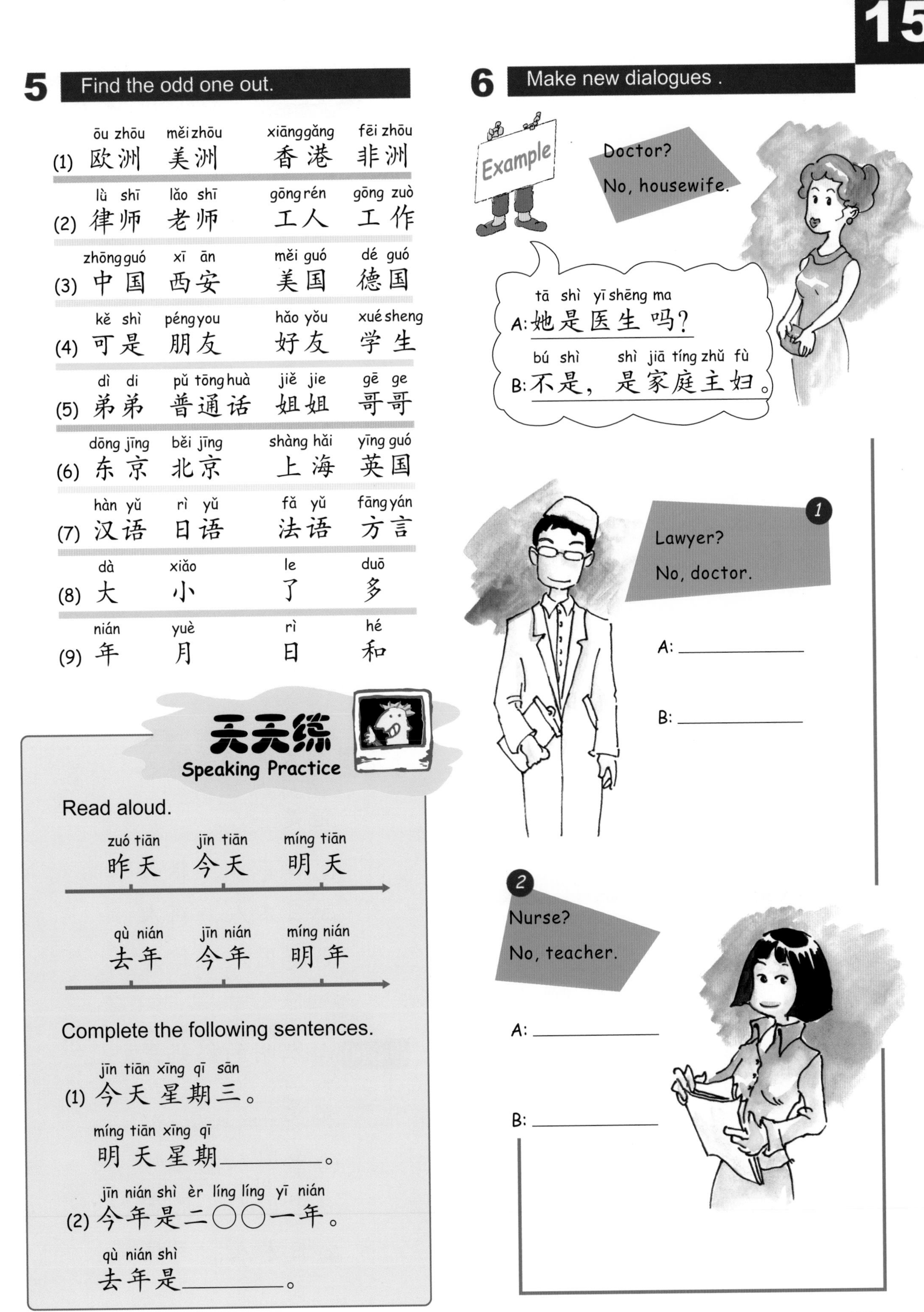

5 Find the odd one out.

(1) ōu zhōu 欧洲　měi zhōu 美洲　xiāng gǎng 香港　fēi zhōu 非洲

(2) lǜ shī 律师　lǎo shī 老师　gōng rén 工人　gōng zuò 工作

(3) zhōng guó 中国　xī ān 西安　měi guó 美国　dé guó 德国

(4) kě shì 可是　péng you 朋友　hǎo yǒu 好友　xué sheng 学生

(5) dì di 弟弟　pǔ tōng huà 普通话　jiě jie 姐姐　gē ge 哥哥

(6) dōng jīng 东京　běi jīng 北京　shàng hǎi 上海　yīng guó 英国

(7) hàn yǔ 汉语　rì yǔ 日语　fǎ yǔ 法语　fāng yán 方言

(8) dà 大　xiǎo 小　le 了　duō 多

(9) nián 年　yuè 月　rì 日　hé 和

天天练 Speaking Practice

Read aloud.

zuó tiān 昨天　jīn tiān 今天　míng tiān 明天

qù nián 去年　jīn nián 今年　míng nián 明年

Complete the following sentences.

(1) jīn tiān xīng qī sān
今天星期三。

míng tiān xīng qī
明天星期________。

(2) jīn nián shì èr líng líng yī nián
今年是二〇〇一年。

qù nián shì
去年是________。

6 Make new dialogues.

Example

Doctor?
No, housewife.

A: tā shì yī shēng ma
她是医生吗?

B: bú shì, shì jiā tíng zhǔ fù
不是，是家庭主妇。

1

Lawyer?
No, doctor.

A: ________

B: ________

2

Nurse?
No, teacher.

A: ________

B: ________

7 Match the Chinese with the English.

fū ren (1) 夫人	(a) master
jiě fu (2) 姐夫	(b) law
fǎ lǜ (3) 法律	(c) Madame; Mrs.
zhǔ rén (4) 主人	(d) brother-in-law
lǜ shī háng (5) 律师行	(e) mercury
yín zi (6) 银子	(f) law firm
shuǐ yín (7) 水银	(g) taxi
dī shì (8) 的士	(h) silver
fū fù (9) 夫妇	(i) woman
zhōng yī (10) 中医	(j) couple
xī yī (11) 西医	(k) Chinese medicine
fù nǚ (12) 妇女	(l) Western medicine

9 Answer the following questions.

nǐ shì nǎ guó rén
(1) 你是哪国人？

nǐ jīn nián duō dà le shàng jǐ nián jí
(2) 你今年多大了？上几年级？

nǐ jiā yǒu jǐ kǒu rén yǒu shén me rén
(3) 你家有几口人？有什么人？

nǐ bà ba shì lǜ shī ma
(4) 你爸爸是律师吗？

nǐ mā ma shì lǎo shī ma
(5) 你妈妈是老师吗？

nǐ de shēng ri shì jǐ yuè jǐ hào
(6) 你的生日是几月几号？

8 CD T37 Listen to the recording. Choose the right answer.

wáng fāng de bà ba shì
(1) 王方的爸爸是____。
tā shì
他是____。

(a) 北京人，律师
(b) 西安人，律师
(c) 西安人，商人

wáng fāng de mā ma shì
(2) 王方的妈妈是____。
tā shì
她是____。

(a) 上海人，护士
(b) 北京人，大夫
(c) 北京人，家庭主妇

shān běn míng de bà ba shì
(3) 山本明的爸爸是____。
tā shì
他是____。

(a) 日本人，银行家
(b) 日本人，商人
(c) 英国人，律师

shān běn míng de mā ma shì
(4) 山本明的妈妈是____。
tā shì
她是____。

(a) 中国人，老师
(b) 中国人，医生
(c) 日本人，司机

识字（七） CD T38

shí yī suì
十 一 岁，
zhǎng dà le
长 大 了。
shēng rì kǎ
生 日 卡，
zì jǐ huà
自 己 画。

New Words

1. zhǎng 长（長）grow; senior; eldest
   zhǎng dà 长大 grow up
2. kǎ 卡 card
   shēng rì kǎ 生日卡 birthday card
3. zì 自 self; oneself
4. jǐ 己 oneself
   zì jǐ 自己 oneself
5. huà 画（畫）draw; paint

第十六课　他做什么工作

CD T39

tā shì fú wù yuán
他是服务员。

tā xǐ huan tā de gōng zuò
他喜欢他的工作。

tā shì mì shū
她是秘书。

tā bù xǐ huan tā de gōng zuò
她不喜欢她的工作。

tā shì jīng lǐ
他是经理。

tā xǐ huan tā de gōng zuò
他喜欢他的工作。

tā shì gōng chéng shī
他是工 程 师。

tā xǐ huan tā de gōng zuò
他喜欢他的工作。

Answer the questions.

1.
tā zuò shén me gōng zuò
他做什么工作？

tā xǐ huan tā de gōng zuò ma
他喜欢他的工作吗？

2.
tā zuò shén me gōng zuò
她做什么工作？

tā xǐ huan tā de gōng zuò ma
她喜欢她的工作吗？

3.
tā zuò shén me gōng zuò
他做什么工作？

tā xǐ huan tā de gōng zuò ma
他喜欢他的工作吗？

4.
tā zuò shén me gōng zuò
他做什么工作？

tā xǐ huan tā de gōng zuò ma
他喜欢他的工作吗？

New Words

1. zuò 做 make; do
2. fú 服 clothes; serve
3. wù 务（務）affair; business
   fú wù 服务 service
4. yuán 员（員）member
   fú wù yuán 服务员 attendant
5. xǐ 喜 happy; like
6. huān 欢（歡）merry
   xǐ huan 喜欢 like; be fond of
7. mì 秘 secret
8. shū 书（書）book; write; script
   mì shū 秘书 secretary
9. jīng 经（經）manage
10. lǐ 理 manage; natural science
    jīng lǐ 经理 manager
11. chéng 程 rule; order
    gōng chéng shī 工程师 engineer

1 CD T40 Listen to the recording. Circle the phrase you hear.

(1) (a)老师 (b)律师 (c)学生

(2) (a)服务员 (b)银行家 (c)大夫

(3) (a)医生 (b)工程师 (c)司机

(4) (a)护士 (b)秘书 (c)经理

(5) (a)中国人 (b)英国人 (c)美国人

(6) (a)家庭 (b)工人 (c)律师

(7) (a)北京 (b)上海 (c)香港

(8) (a)澳洲 (b)欧洲 (c)非洲

(9) (a)工作 (b)年级 (c)笔友

(10) (a)汉语 (b)德语 (c)法语

(11) (a)很多 (b)很早 (c)很好

(12) (a)人口 (b)方言 (c)历史

2 Make new dialogues.

3 Match the words in column A with the ones in column B.

A	B
(1) 医 (yī)	(a) 主妇 (zhǔ fù)
(2) 银行 (yín háng)	(b) 生 (shēng)
(3) 家庭 (jiā tíng)	(c) 师 (shī)
(4) 工 程 (gōng chéng)	(d) 家 (jiā)
(5) 经 (jīng)	(e) 人 (rén)
(6) 工 (gōng)	(f) 员 (yuán)
(7) 司 (sī)	(g) 理 (lǐ)
(8) 护 (hù)	(h) 夫 (fu)
(9) 服务 (fú wù)	(i) 机 (jī)
(10) 秘 (mì)	(j) 士 (shi)
(11) 大 (dài)	(k) 书 (shū)

4 Answer the following questions.

(1) 你家有几口人？ (nǐ jiā yǒu jǐ kǒu rén)

(2) 你有兄弟姐妹吗？ (nǐ yǒu xiōng dì jiě mèi ma)

(3) 你有没有哥哥？ (nǐ yǒu méi yǒu gē ge)

(4) 你今年多大了？ (nǐ jīn nián duō dà le)

(5) 你今年上几年级？ (nǐ jīn nián shàng jǐ nián jí)

(6) 你去过什么国家？ (nǐ qù guo shén me guó jiā)

(7) 你会说什么语言？ (nǐ huì shuō shén me yǔ yán)

(8) 你有没有笔友？ (nǐ yǒu méi yǒu bǐ yǒu)

(9) 你爸爸是医生吗？ (nǐ bà ba shì yī shēng ma)

(10) 你妈妈是律师吗？ (nǐ mā ma shì lǜ shī ma)

(11) 你爸爸喜欢他的工作吗？ (nǐ bà ba xǐ huan tā de gōng zuò ma)

天天练 Speaking Practice

Finish the following sentences according to the calendar.

2001年3月 March

星期日	星期一	星期二	星期三	星期四	星期五	星期六
今天				1	2	3
4	5	6	7	8	9	10
11	12	13	14	15	16	17
18	19	20	21	22	23	24
25	26	27	28	29	30	31

(1) 今天是____月____号。 (jīn tiān shì ... yuè ... hào)

(2) 今天星期____。 (jīn tiān xīng qī)

(3) 明天星期____。 (míng tiān xīng qī)

(4) 今年是________年。 (jīn nián shì ... nián)

5 Conduct a survey among your classmates to find out what they would like to do when they grow up. Finish the following table.

	Tally	Summary
nǐ xiǎng zuò yī shēng ma (1) 你想做医生吗？	正 正 下	十三个人想做医生。
nǐ xiǎng zuò lǎo shī ma (2) 你想做老师吗？		
nǐ xiǎng zuò lǜ shī ma (3) 你想做律师吗？		
nǐ xiǎng zuò shāng rén ma (4) 你想做商人吗？		
nǐ xiǎng zuò hù shi ma (5) 你想做护士吗？		
nǐ xiǎng zuò yín háng jiā ma (6) 你想做银行家吗？		
nǐ xiǎng zuò sī jī ma (7) 你想做司机吗？		
nǐ xiǎng zuò jīng lǐ ma (8) 你想做经理吗？		
nǐ xiǎng zuò fú wù yuán ma (9) 你想做服务员吗？		
nǐ xiǎngzuò gōng chéng shī ma (10) 你想做工程师吗？		

6 Read aloud.

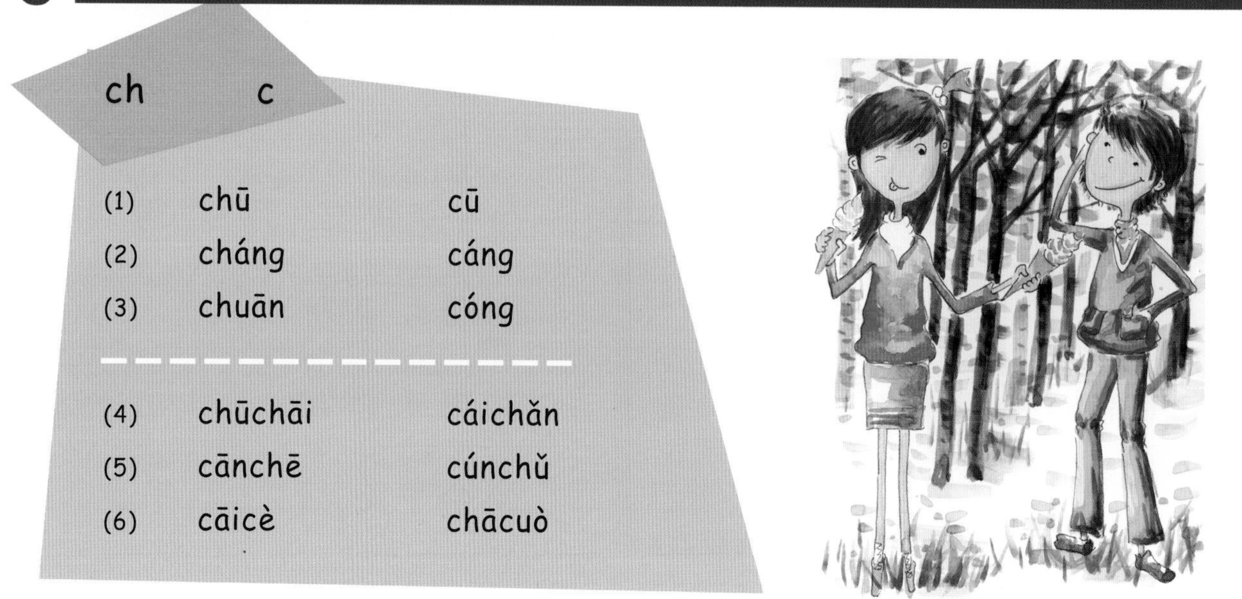

	ch	c
(1)	chū	cū
(2)	cháng	cáng
(3)	chuān	cóng
(4)	chūchāi	cáichǎn
(5)	cānchē	cúnchǔ
(6)	cāicè	chācuò

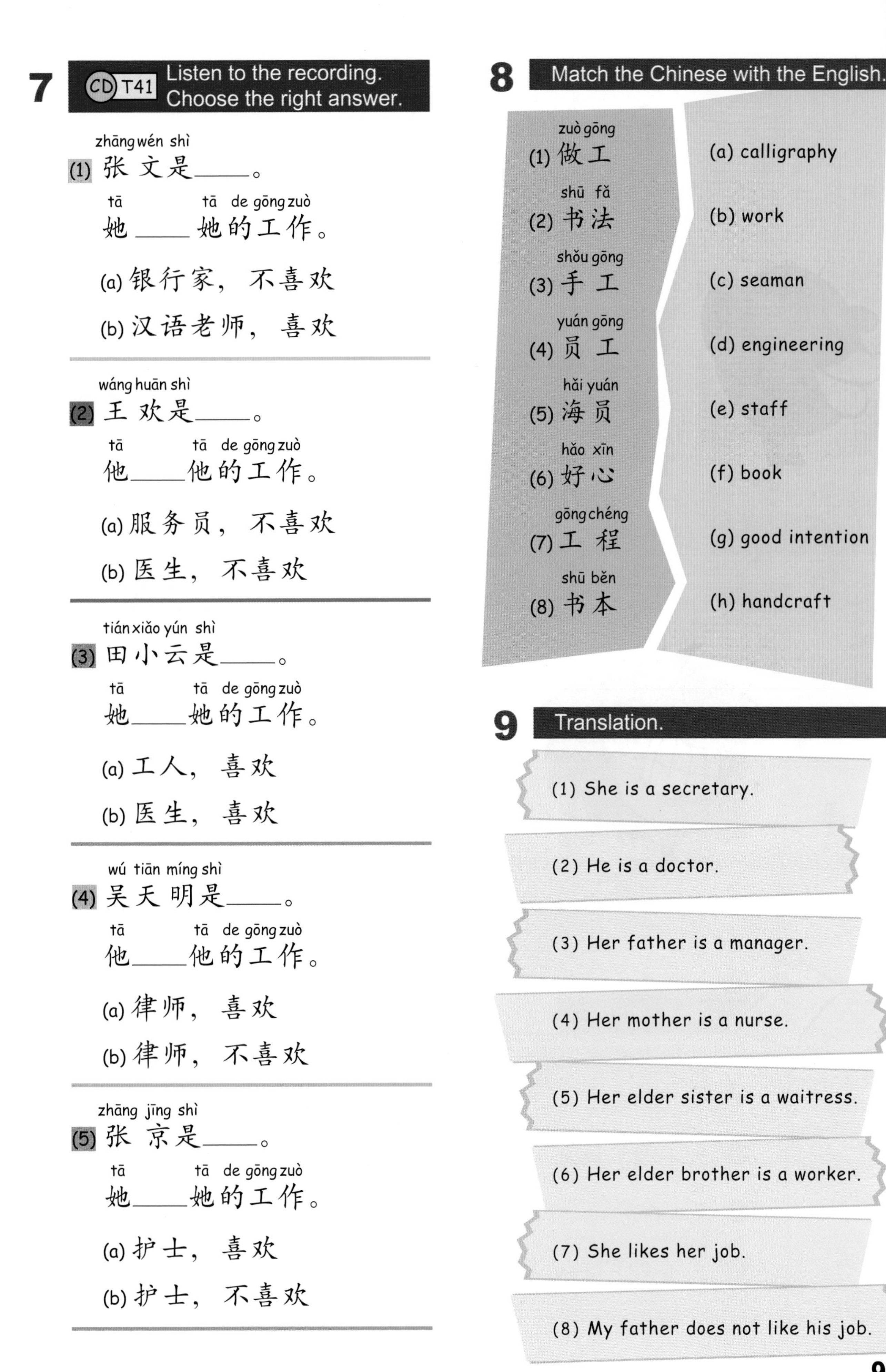

7 CD T41 Listen to the recording. Choose the right answer.

zhāng wén shì
(1) 张 文 是____。
tā tā de gōng zuò
她____她的工作。

(a) 银行家，不喜欢

(b) 汉语老师，喜欢

wáng huān shì
(2) 王 欢 是____。
tā tā de gōng zuò
他____他的工作。

(a) 服务员，不喜欢

(b) 医生，不喜欢

tián xiǎo yún shì
(3) 田 小 云 是____。
tā tā de gōng zuò
她____她的工作。

(a) 工人，喜欢

(b) 医生，喜欢

wú tiān míng shì
(4) 吴 天 明 是____。
tā tā de gōng zuò
他____他的工作。

(a) 律师，喜欢

(b) 律师，不喜欢

zhāng jīng shì
(5) 张 京 是____。
tā tā de gōng zuò
她____她的工作。

(a) 护士，喜欢

(b) 护士，不喜欢

8 Match the Chinese with the English.

zuò gōng (1) 做工	(a) calligraphy
shū fǎ (2) 书法	(b) work
shǒu gōng (3) 手工	(c) seaman
yuán gōng (4) 员工	(d) engineering
hǎi yuán (5) 海员	(e) staff
hǎo xīn (6) 好心	(f) book
gōng chéng (7) 工程	(g) good intention
shū běn (8) 书本	(h) handcraft

9 Translation.

(1) She is a secretary.

(2) He is a doctor.

(3) Her father is a manager.

(4) Her mother is a nurse.

(5) Her elder sister is a waitress.

(6) Her elder brother is a worker.

(7) She likes her job.

(8) My father does not like his job.

识字（八） CD T42

ěr kǒu mù
耳　口　目，

tóu shǒu zú
头　手　足，

wū fà cháng
乌　发　长，

bái yá guāng
白　牙　光。

New Words

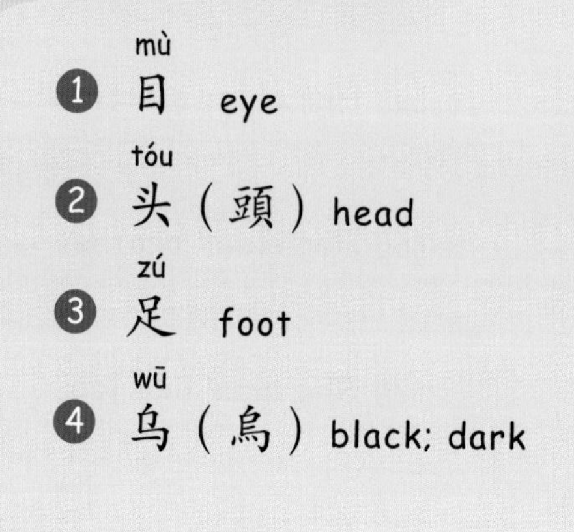

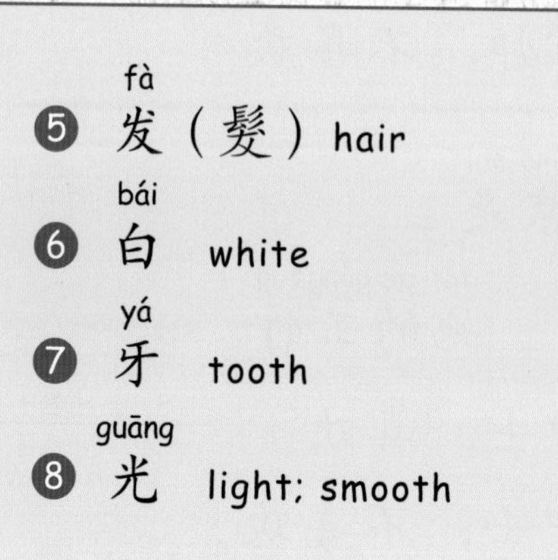

❶ mù 目 eye	❺ fà 发（髮）hair
❷ tóu 头（頭）head	❻ bái 白 white
❸ zú 足 foot	❼ yá 牙 tooth
❹ wū 乌（烏）black; dark	❽ guāng 光 light; smooth

第十七课　她在一家日本公司工作

CD T43

1

tā jiào zhāng xiǎo wén　tā shì mì shū　tā
她叫张小文。她是秘书。她
zài yì jiā rì běn gōng sī gōng zuò　tā zhàng fu shì
在一家日本公司工作。她丈夫是
yín háng jiā　zài yì jiā měi guó yín háng gōng zuò
银行家，在一家美国银行工作。

2

ān shì yīng guó rén
安是英国人。
tā shì yīng yǔ lǎo shī　zài
她是英语老师，在
yí ge zhōng wén xué xiào gōng zuò　tā xiān sheng
一个中文学校工作。她先生
shì yī shēng　zài yì jiā yī yuàn gōng zuò
是医生，在一家医院工作。

3

hú xiān sheng shì
胡先生是
jīng lǐ　zài yì
经理，在一
jiā jiǔ diàn gōng zuò　tā tài tai shì fú wù
家酒店工作。他太太是服务
yuán　zài yì jiā fàn diàn gōng zuò
员，在一家饭店工作。

4

yīng nán shì fú wù yuán
英南是服务员，
zài yì jiā jiǔ diàn gōng zuò　tā
在一家酒店工作。她
xiān sheng shì gōng chéng shī　zài yì jiā gōng
先生是工程师，在一家工
chǎng gōng zuò　tā men yǒu yí ge nǚ ér hé
厂工作。他们有一个女儿和
liǎng ge ér zi
两个儿子。

5

wáng nǚ shì shì lǜ
王女士是律
shī　tā huì shuō
师。她会说
hǎo jǐ zhǒng yǔ yán　tā huì shuō yīng yǔ　fǎ
好几种语言。她会说英语、法
yǔ　dé yǔ hé yì diǎnr　hàn yǔ　tā zài
语、德语和一点儿汉语。她在
yì jiā lǜ shī háng gōng zuò
一家律师行工作。

Answer the questions.

(1) zhāng xiǎo wén zuò shén me gōng zuò
张小文做什么工作？

(2) tā zài nǎr gōng zuò
她在哪儿工作？

(3) ān shì nǎ guó rén
安是哪国人？

(4) tā zuò shén me gōng zuò
她做什么工作？

(5) tā zài nǎr gōng zuò
她在哪儿工作？

(6) hú xiān sheng zuò shén me gōng zuò
胡先生做什么工作？

(7) tā tài tai zuò shén me gōng zuò
他太太做什么工作？

(8) tā tài tai zài nǎr gōng zuò
他太太在哪儿工作？

(9) yīng nán zài nǎr gōng zuò
英南在哪儿工作？

(10) tā yǒu jǐ ge ér zi jǐ ge nǚ ér
她有几个儿子、几个女儿？

(11) wáng nǚ shì zài nǎr gōng zuò
王女士在哪儿工作？

(12) wáng nǚ shì huì shuō hàn yǔ ma
王女士会说汉语吗？

New Words

1. 公 (gōng) public　公司 (gōng sī) company
2. 丈 (zhàng) a form of address
   丈夫 (zhàng fu) husband
3. 校 (xiào) school　学校 (xué xiào) school
4. 先 (xiān) first of all
   先生 (xiān sheng) Mr.; husband; teacher
5. 院 (yuàn) courtyard
   医院 (yī yuàn) hospital
6. 酒 (jiǔ) alcoholic drink; wine
7. 店 (diàn) shop; store　酒店 (jiǔ diàn) hotel
8. 太 (tài) too　太太 (tài tai) Mrs.; madame
9. 饭（飯） (fàn) cooked rice; meal
   饭店 (fàn diàn) restaurant; hotel
10. 厂（廠） (chǎng) factory　工厂 (gōng chǎng) factory
11. 女儿 (nǚ ér) daughter
12. 儿子 (ér zi) son
13. 女士 (nǚ shì) Ms.; lady
14. 点（點） (diǎn) dot; point; o'clock
    一点儿 (yì diǎnr) a little bit
15. 律师行 (lǜ shī háng) law firm

1 CD T44 Listen to the recording. Choose the right answer.

(1) 齐小云在＿＿工作。(qí xiǎo yún zài ... gōng zuò)

(a) 银行 (b) 工厂 (c) 公司

(2) 史言在＿＿工作。(shǐ yán zài ... gōng zuò)

(a) 医院 (b) 学校 (c) 家

(3) 张田田在＿＿工作。(zhāng tián tian zài ... gōng zuò)

(a) 律师行 (b) 酒店 (c) 书店

(4) 古月在＿＿工作。(gǔ yuè zài ... gōng zuò)

(a) 饭店 (b) 公司 (c) 医院

(5) 胡小方在＿＿工作。(hú xiǎo fāng zài ... gōng zuò)

(a) 家 (b) 学校 (c) 银行

2 Read aloud.

(1) 商店	shāngdiàn
(2) 银行	yínháng
(3) 工厂	gōngchǎng
(4) 饭店	fàndiàn
(5) 酒店	jiǔdiàn
(6) 公司	gōngsī
(7) 学校	xuéxiào
(8) 律师行	lǜshīháng
(9) 书店	shūdiàn
(10) 医院	yīyuàn

3 Finish the following dialogues in Chinese.

(1) A: 你哥哥在哪儿工作？(nǐ gē ge zài nǎr gōng zuò)　　工厂 (gōng chǎng)

B: ＿＿＿＿＿＿

(2) A: 你爸爸在哪儿工作？(nǐ bà ba zài nǎr gōng zuò)　　医院 (yī yuàn)

B: ＿＿＿＿＿＿

(3) A: 你妈妈在哪儿工作？(nǐ mā ma zài nǎr gōng zuò)　　公司 (gōng sī)

B: ＿＿＿＿＿＿

(4) A: 你姐姐在哪儿工作？(nǐ jiě jie zài nǎr gōng zuò)　　学校 (xué xiào)

B: ＿＿＿＿＿＿

(5) A: 王先生在哪儿工作？(wáng xiānsheng zài nǎr gōng zuò)　　酒店 (jiǔ diàn)

B: ＿＿＿＿＿＿

4 Fill in the blanks with the measure words in the box.

gè kǒu jiā
个 口 家

NOTE

gè kǒu jiā
"个"、"口"、"家" are measure words in Chinese. The measure word is positioned between the number and the noun.

(a) gè
"个" is for general use.

liǎng ge péngyou
两个朋友 two friends

(b) kǒu
"口" is usually for family members.

sān kǒu rén
三口人 three members in the family

(c) jiā
"家" is for households or enterprises.

yì jiā shāngdiàn
一家商店 one shop

More examples:

gè: rén, lǎo shī, xué sheng, fú wù yuán, yī shēng, lǜ shī
个：人、老师、学生、服务员、医生、律师

kǒu: rén
口：人

jiā: fàn diàn, lǜ shī háng, shū diàn, gōng sī, yín háng
家：饭店、律师行、书店、公司、银行

(1) tā bà ba zài yì ____ yín háng gōng zuò
他爸爸在一____银行工作。

(2) xiǎo yún de mā ma zài yì ____ rì běn gōng sī gōng zuò
小云的妈妈在一____日本公司工作。

(3) jiě jie zài yí ____ fǎ yǔ zhōng xué zuò lǎo shī
姐姐在一____法语中学做老师。

(4) gē ge shì fú wù yuán。 tā zài yì ____ jiǔ diàn gōng zuò
哥哥是服务员。他在一____酒店工作。

(5) xiǎo míng de bà ba shì jīng lǐ。 tā zài yì ____ gōng chǎng gōng zuò
小明的爸爸是经理。他在一____工厂工作。

(6) wǒ mā ma shì yīng yǔ lǎo shī。 tā zài yí ____ yīng yǔ xué xiào zuò lǎo shī
我妈妈是英语老师。她在一____英语学校做老师。

(7) tā yǒu yí ____ dì di
他有一____弟弟。

(8) tā jiā yǒu wǔ ____ rén
她家有五____人。

(9) zhāng xiǎo guāng yǒu liǎng ____ hǎo pén you
张小光有两____好朋友。

5 CD T45 Listen to the recording. Circle the phrase you hear.

(1) (a) 医院 (b) 医生 (c) 学生

(2) (a) 饭店 (b) 酒店 (c) 九十

(3) (a) 公司 (b) 工厂 (c) 工人

(4) (a) 海员 (b) 服务员 (c) 员工

(5) (a) 学校 (b) 学生 (c) 先生

(6) (a) 饭店 (b) 早饭 (c) 中饭

(7) (a) 丈夫 (b) 大夫 (c) 小姐

(8) (a) 秘书 (b) 书店 (c) 酒店

6 Read aloud.

	sh	s
(1)	shì	sì
(2)	shān	sān
(3)	shuǐ	suì
(4)	shānshuǐ	sānshí
(5)	shāngshì	shàngsi
(6)	shìshí	suíshí

7 Translation.

xiǎo míng xǐ huan tā de yīng wén lǎo shī
(1) 小明喜欢他的英文老师。

wǒ mèi mei hěn xǐ huan xué hàn yǔ
(2) 我妹妹很喜欢学汉语。

wǒ dì di bù xǐ huan tā de xué xiào
(3) 我弟弟不喜欢他的学校。

xiǎo wáng bù xǐ huan tā de gōng zuò
(4) 小王不喜欢他的工作。

wǒ mā ma hěn xǐ huan zhè jiā jiǔ diàn
(5) 我妈妈很喜欢这家酒店。

tā yé ye bú tài xǐ huan zhù zài xiāng gǎng
(6) 他爷爷不太喜欢住在香港。

xiǎo yún bù xǐ huan chī zǎo fàn
(7) 小云不喜欢吃早饭。

lǐ xiǎo jie bù xǐ huan zuò mì shū
(8) 李小姐不喜欢做秘书。

wú xiān sheng xǐ huan zài gōng sī gōng zuò
(9) 吴先生喜欢在公司工作。

NOTE

xǐ huan
喜欢 like

hěn xǐ huan
很喜欢 like very much

bù xǐ huan
不喜欢 do not like

bú tài xǐ huan
不太喜欢 don't really like

8 Say two sentences for each picture.

天天练 Speaking Practice

Finish the following sentences according to the calendar.

jīn tiān xīng qī sān zuó tiān xīng qī
(1) 今天星期三。昨天星期＿＿。

míng tiān shì yī yuè sì rì jīn tiān shì
(2) 明天是一月四日。今天是＿＿。

jīn nián shì èr líng líng yī nián míng nián shì
(3) 今年是二〇〇一年。明年是＿＿。

2001年1月 January

星期日	星期一	星期二	星期三	星期四	星期五	星期六
今天	1	2	3	4	5	6
7	8	9	10	11	12	13
14	15	16	17	18	19	20
21	22	23	24	25	26	27

识 字（九） CD T46

dà huī xiàng
大 灰 象，

bí zi cháng
鼻 子 长，

gè zi gāo
个 子 高，

lì qi dà
力 气 大。

New Words

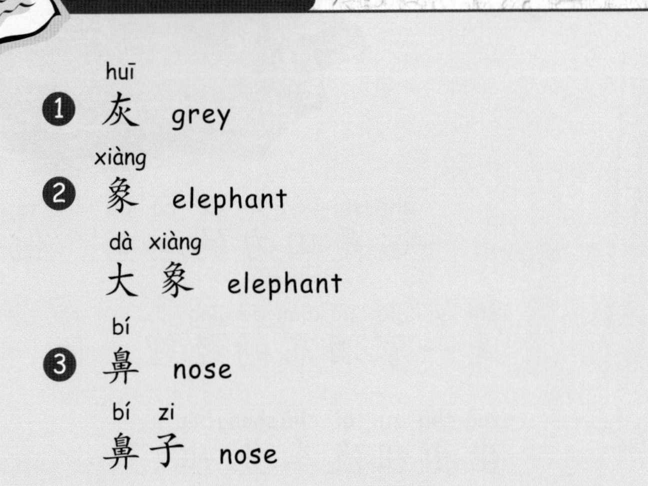

1. huī
   灰 grey
2. xiàng
   象 elephant
   dà xiàng
   大 象 elephant
3. bí
   鼻 nose
   bí zi
   鼻 子 nose
4. gè zi
   个 子 height; build
5. gāo
   高 high; tall
6. qì
   气（氣）gas; air
   lì qi
   力 气 physical strength

第五单元　上学、上班

第十八课　他天天坐校车上学

1

tā jiào wáng dà shān, jīn nián shí sān suì. tā tiān tiān zuò xiào chē shàng xué, dàn shì tā jīn tiān zuò tā bà ba de chē shàng xué.

他叫王大山，今年十三岁。他天天坐校车上学，但是他今天坐他爸爸的车上学。

2

tā shì wáng dà shān de tóng xué, tián lì. tā jīn nián yě shí sān suì. tā tiān tiān zuò gōng gòng qì chē shàng xué.

他是王大山的同学，田力。他今年也十三岁。他天天坐公共汽车上学。

3

tā men shì wáng dà shān de bà ba hé mā ma. wáng dà shān de bà ba shì gōng chéng shī. tā kāi chē shàng bān. tā mā ma bù gōng zuò. tā shì jiā tíng zhǔ fù.

他们是王大山的爸爸和妈妈。王大山的爸爸是工程师。他开车上班。他妈妈不工作。她是家庭主妇。

4

zhè shì tián lì de bà ba. tā shì yì jiā jiǔ diàn de jīng lǐ. tā zuò chū zū qì chē shàng bān.

这是田力的爸爸。他是一家酒店的经理。他坐出租汽车上班。

5

lǐ yún shì wáng dà shān de hǎo
李云是王大山的好
péngyou tā jīn nián shàng shí nián
朋友。她今年上十年
jí tā zuò diàn chē shàng xué
级。她坐电车上学。

6

lǐ wén shì lǐ yún de jiě jie tā jīn
李文是李云的姐姐。她今
nián shàng shí èr nián jí tā xīng qī liù qù
年上十二年级。她星期六去
běi jīng tā zuò huǒ chē qù běi jīng
北京。她坐火车去北京。

7

lǐ yún hé lǐ wén de bà ba shì
李云和李文的爸爸是
shāng rén tā míng tiān qù yīng guó tā
商人。他明天去英国。他
zuò fēi jī qù yīng guó
坐飞机去英国。

8

lǐ yún hé lǐ wén de mā ma shì
李云和李文的妈妈是
lǜ shī tā zài yì jiā měi guó lǜ shī
律师。她在一家美国律师
háng gōng zuò tā zuò dì tiě shàng bān
行工作。她坐地铁上班。

Answer the questions.

wáng dà shān jīn nián duō dà le
(1) 王大山今年多大了？

tián lì shì shuí
(2) 田力是谁？

wáng dà shān de bà ba zuò shén me gōng zuò
(3) 王大山的爸爸做什么工作？

wáng dà shān de mā ma gōng zuò ma
(4) 王大山的妈妈工作吗？

lǐ yún zěn me shàng xué
(5) 李云怎么上学？

lǐ wén xīng qī liù qù nǎr
(6) 李文星期六去哪儿？

lǐ yún de bà ba nǎ tiān qù yīng guó
(7) 李云的爸爸哪天去英国？

lǐ wén de mā ma zěn me shàng bān
(8) 李文的妈妈怎么上班？

New Words

1. tiān tiān 天天 every day
2. zuò 坐 travel by; sit
3. chē 车（車）vehicle
   xiào chē 校车 school bus
   zuò xiào chē 坐校车 take the school bus
4. tóng 同 same; like　tóng xué 同学 schoolmate
5. gòng 共 common; general
   gōng gòng 公共 public
6. qì 汽 vapour; steam
   qì chē 汽车 car; motor vehicle
   gōng gòng qì chē 公共汽车 public bus
7. kāi 开（開）drive; open; manage
   kāi chē 开车 drive a car
8. bān 班 class; shift
   shàng bān 上班 go to work
9. zū 租 rent; hire
   chū zū (qì) chē 出租（汽）车 taxi
10. diàn 电（電）electricity
    diàn chē 电车 tram
11. huǒ chē 火车 train
12. fēi 飞（飛）fly
    fēi jī 飞机 plane
13. tiě 铁（鐵）iron
    dì tiě 地铁 underground
14. zěn 怎 why; how
    zěn me 怎么 how

1 Match the pictures with the words in the box.

qì chē
(1) 汽车

gōng gòng qì chē
(2) 公共汽车

diàn chē
(3) 电车

huǒ chē
(4) 火车

fēi jī
(5) 飞机

chū zū qì chē
(6) 出租汽车

dì tiě
(7) 地铁

kǎ chē
(8) 卡车

rén lì chē
(9) 人力车

mǎ chē
(10) 马车

xiào chē
(11) 校车

a b c d e f g h i j k

2 Match the question with the answer.

nǐ bà ba zěn me shàng bān
(1) 你爸爸怎么上班？

nǐ mā ma zěn me qù běi jīng
(2) 你妈妈怎么去北京？

wáng xiānsheng zěn me qù yín háng
(3) 王先生怎么去银行？

nǐ zěn me shàng xué
(4) 你怎么上学？

tā zuò fēi jī qù běi jīng
(a) 她坐飞机去北京。

wǒ zuò xiào chē shàng xué
(b) 我坐校车上学。

tā kāi chē shàng bān
(c) 他开车上班。

tā zuò chū zū chē qù yín háng
(d) 他坐出租车去银行。

3 Make new dialogues.

4 CD T48 Listen to the recording. Choose the right answer.

(1) 王大山 (wáng dà shān) ______ 上学 (shàng xué)。

(a) 坐他爸爸的汽车

(b) 开车 (c) 坐校车

(2) 王大山的爸爸 (wáng dà shān de bà ba) ______ 上班 (shàng bān)。

(a) 坐他儿子的汽车

(b) 开车 (c) 坐出租车

(3) 田力 (tián lì) ______ 上学 (shàng xué)。

(a) 坐公共汽车

(b) 开公共汽车 (c) 坐火车

(4) 田力的爸爸 (tián lì de bà ba) ______ 上班 (shàng bān)。

(a) 坐飞机

(b) 坐出租车 (c) 坐电车

5 Read aloud.

zh	ch	sh
j	q	x

(1)	zhíjiē	chuánqí	shuāngxǐ
(2)	zhíxì	chūqù	shǒuxù
(3)	jīchì	qíshí	chūxí
(4)	zhǎojí	shēngqì	jíshí
(5)	zhāoqì	quánshí	jiǔshí

6 Read aloud.

(1) 一天 yì tiān

(2) 两个星期 liǎng ge xīngqī

(3) 三个月 sān ge yuè

(4) 四年 sì nián

(5) 五个哥哥 wǔ ge gēge

(6) 六个妹妹 liù ge mèimei

(7) 七个老师 qī ge lǎoshī

(8) 八个国家 bā ge guójiā

(9) 九个医生 jiǔ ge yīshēng

(10) 十家公司 shí jiā gōngsī

Speaking Practice

Answer the questions.

(1) 今天是五月三号。(jīn tiān shì wǔ yuè sān hào)
明天是几月几号？(míngtiān shì jǐ yuè jǐ hào)

(2) 今天是十月九号。(jīn tiān shì shí yuè jiǔ hào)
昨天是几月几号？(zuó tiān shì jǐ yuè jǐ hào)

(3) 昨天是星期三。(zuó tiān shì xīng qī sān)
今天是星期几？(jīn tiān shì xīng qī jǐ)

识 字（十） CD T49

shàng	xià	zuǒ	yòu
上	下	左	右，
dōng	nán	xī	běi
东	南	西	北。
yì	nián	sì	jì
一	年	四	季，
chūn	xià	qiū	dōng
春	夏	秋	冬。

New Words

1. 下 (xià) below; next; get off
2. 左 (zuǒ) left
3. 右 (yòu) right
4. 季 (jì) season
   一年四季 (yì nián sì jì) throughout the year
5. 春 (chūn) spring
6. 夏 (xià) summer
7. 秋 (qiū) autumn
8. 冬 (dōng) winter

第十九课　她坐地铁上班

CD T50

1

tā jiào shǐ xiǎo dōng jīn nián shàng shí nián
他叫史小冬，今年上十年

jí tā qù guo shì jièshang hěn duō dì fang tā
级。他去过世界上很多地方。他

huì shuō hǎo jǐ zhǒng yǔ yán tā zhǎng dà yǐ hòu
会说好几种语言。他长大以后

xiǎng zuò lǜ shī tā měi tiān qí zì xíng chē shàng
想做律师。他每天骑自行车上

xué tā xǐ huan tā de xué xiào
学。他喜欢他的学校。

2

tā jiào lǐ guāng míng shì shǐ xiǎo dōng
他叫李光明，是史小冬

de péngyou tā men zài tóng yí ge xué xiào
的朋友。他们在同一个学校

shàng xué tā chūshēng zài měi guó dàn shì
上学。他出生在美国，但是

zài xiāng gǎng zhǎng dà cóng xīng qī yī dào
在香港长大。从星期一到

xīng qī wǔ tā měi tiān zuò dì tiě shàng xué
星期五，他每天坐地铁上学。

xīng qī liù xīng qī tiān tā xǐ huan qí mǎ
星期六、星期天他喜欢骑马。

3

huān huan yǒu yí ge gē ge hé yí ge jiě
欢欢有一个哥哥和一个姐

jie tā men zài tóng yí ge xué xiào shàng xué
姐。他们在同一个学校上学。

tā men měi tiān zǒu lù shàng xué
他们每天走路上学。

4

huān huan de mā ma shì dà xué lǎo shī
欢欢的妈妈是大学老师。

cóng xīng qī yī dào xīng qī wǔ tā qù dà
从星期一到星期五，她去大

xué shàng bān tā xiān zuò chuán rán hòu zuò
学上班。她先坐船，然后坐

dì tiě shàng bān
地铁上班。

Answer the questions.

(1) 史小冬每天怎么上学？
shǐ xiǎo dōng měi tiān zěn me shàng xué

(2) 史小冬长大以后想做什么？
shǐ xiǎo dōng zhǎng dà yǐ hòu xiǎng zuò shén me

(3) 李光明出生在哪儿？
lǐ guāng míng chū shēng zài nǎr

(4) 李光明星期六喜欢做什么？
lǐ guāng míng xīng qī liù xǐ huan zuò shén me

(5) 欢欢有几个兄弟姐妹？
huān huan yǒu jǐ ge xiōng dì jiě mèi

(6) 欢欢每天怎么上学？
huān huan měi tiān zěn me shàng xué

(7) 欢欢的妈妈做什么工作？
huān huan de mā ma zuò shén me gōng zuò

(8) 她妈妈每天怎么上班？
tā mā ma měi tiān zěn me shàng bān

New Words

1. 后（後）hòu behind; back
   以后 yǐ hòu after
2. 每 měi every
   每天 = 天天 měi tiān = tiān tiān every day
3. 骑（騎）qí ride
   骑马 qí mǎ ride a horse
4. 行 xíng go; travel
   自行车 zì xíng chē bicycle
   骑自行车 qí zì xíng chē ride a bicycle
5. 从（從）cóng from
6. 到 dào arrive; until
   从……到…… cóng … dào … from... to...
7. 走 zǒu walk
8. 路 lù road; journey
   走路 zǒu lù walk
9. 船 chuán boat; ship
10. 然 rán right
    然后 rán hòu then; after that
    先……然后…… xiān … rán hòu … first... then...

1 Say the mode of transport in Chinese.

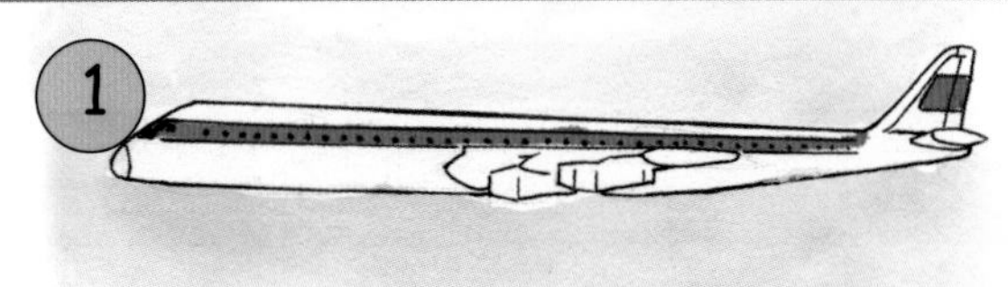

2 CD T51 Listen to the recording. Circle the right answer.

(1) (a) 骑马　(b) 骑自行车

(2) (a) 走路　(b) 坐车

(3) (a) 然后　(b) 以后

(4) (a) 每天　(b) 天天

(5) (a) 去过　(b) 到过

(6) (a) 地铁　(b) 地方

(7) (a) 坐船　(b) 坐出租车

(8) (a) 星期　(b) 年级

(9) (a) 飞机　(b) 手机

(10) (a) 汽水　(b) 汽车

3 Interview two classmates. Fill in the form below.

Questions	Classmate A	Classmate B
nǐ jiā yǒu jǐ ge rén (1)你家有几个人？		
nǐ jīn nián duō dà le (2)你今年多大了？		
nǐ shì nǎ guó rén (3)你是哪国人？		
nǐ chūshēng zài nǎr (4)你出生在哪儿？		
nǐ qù guo shén me dì fang (5)你去过什么地方？		
nǐ huì shuō shén me yǔ yán (6)你会说什么语言？		
nǐ bà ba gōng zuò ma zuò shén me gōng zuò (7)你爸爸工作吗？做什么工作？		
nǐ mā ma gōng zuò ma zuò shén me gōng zuò (8)你妈妈工作吗？做什么工作？		
nǐ bà ba zěn me shàng bān (9)你爸爸怎么上班？		
nǐ zěn me shàng xué (10)你怎么上学？		

4 Circle the correct pinyin.

(1) 走路 (a) zǒulù (b) zǒulù

(2) 自行车 (a) zìxíngchē (b) zhìxíncē

(3) 骑马 (a) chímǎ (b) qímǎ

(4) 然后 (a) lánhuò (b) ránhòu

(5) 每天 (a) mǎitiān (b) měitiān

(6) 到过 (a) tàoguo (b) dàoguo

(7) 同班 (a) tóngbān (b) dōngbāng

(8) 出租车 (a) chūzūchē (b) chūzhūcē

5 Translation.

(1) I first take the ferry and then the school bus to school.

(2) My father first takes the bus and then the underground to work.

(3) My mother first takes the tram and then walks to work.

(4) Mr. Wang goes to Beijing first, and then flies to Shanghai.

(5) I want to learn Mandarin first, and then learn Japanese.

(6) Mrs. Zhang went to the bank first, and then to the school.

NOTE

xiān rán hòu
先……然后…… first... then...

wǒ xiān zuò huǒ chē dào dōng jīng
我先坐火车到东京，
rán hòu zuò fēi jī qù yīng guó
然后坐飞机去英国。

I first take the train to Tokyo, then the plane to England.

6 Answer the following questions.

nǐ bà ba gōng zuò ma
(1) 你爸爸工作吗？

tā xǐ huan tā de gōng zuò ma
(2) 他喜欢他的工作吗？

tā měi tiān zěn me shàng bān
(3) 他每天怎么上班？

nǐ yǒu xiōng dì jiě mèi ma
(4) 你有兄弟姐妹吗？

nǐ jīn nián shàng jǐ nián jí
(5) 你今年上几年级？

nǐ měi tiān zěn me shàng xué
(6) 你每天怎么上学？

nǐ qù guo fēi zhōu ma
(7) 你去过非洲吗？

nǐ huì shuō shén me yǔ yán
(8) 你会说什么语言？

天天练
Speaking Practice

Answer the questions.

jīn tiān shì jǐ yuè jǐ hào
(1) 今天是几月几号？

____

xià ge yuè shì jǐ yuè
(2) 下个月是几月？

____

hòu tiān shì jǐ yuè jǐ hào
(3) 后天是几月几号？

____

hòu nián shì nǎ nián
(4) 后年是哪年？

____

7 Make new dialogues.

Example

wáng tiān míng měi tiān zěn me shàng xué
A:王天明每天怎么上学？

tā zuò chū zū chē shàng xué
B:他坐出租车上学。

wáng tiān míng / shàng xué
王天明 / 上学

zuò chū zū chē
坐出租车

1.
wáng xiānsheng wáng tài tai / shàng bān
王先生、王太太 / 上班

zuò gōng gòng qì chē
坐公共汽车

2.
wáng xiǎo jie / shàng bān
王小姐 / 上班

kāi chē
开车

3.
zhāng lǎo shī / shàng bān
张老师 / 上班

zǒu lù
走路

4.
xiǎo fāng / shàng xué
小方 / 上学

qí zì xíng chē
骑自行车

8 Read aloud.

ü u

(1)	jǔ	qú	xù	(4)	fùnǔ	nǔlì
(2)	lǚ	lù		(5)	zhēngqǔ	fúwù
(3)	nǚ	nǔ		(6)	jǔzhòng	zǒulù

识 字（十一） CD T52

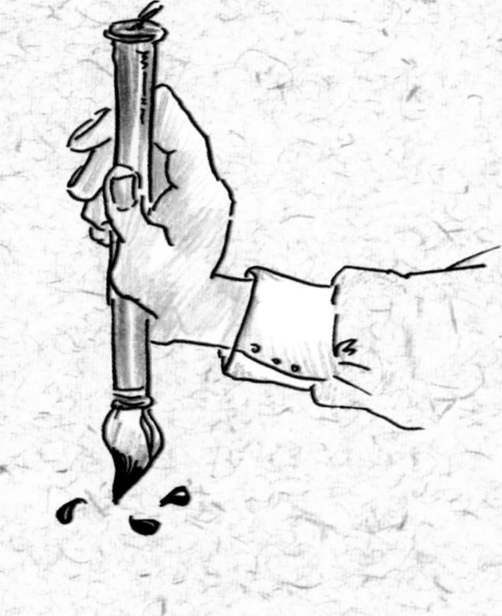

xiě dà zì
写 大 字，
yòng máo bǐ
用 毛 笔。
zhōng guó cài
中 国 菜，
yòng zhú kuài
用 竹 筷。

New Words

1. xiě 写（寫）write
2. máo 毛 hair; wool
   máo bǐ 毛笔 writing brush
3. cài 菜 vegetable; dish
4. zhú 竹 bamboo
5. kuài 筷 chopsticks
   zhú kuài 竹筷 bamboo chopsticks

第二十课　我早上七点半上学

CD T53

1

xiàn zài sì diǎn
① 现在四点。

xiàn zài liǎng diǎn líng wǔ fēn
② 现在两点零五分。

xiàn zài sì diǎn èr shí wǔ fēn
③ 现在四点二十五分。

xiàn zài shí yī diǎn yí kè
④ 现在十一点一刻。

xiàn zài shí yī diǎn sān kè
⑤ 现在十一点三刻。

xiàn zài qī diǎn bàn
⑥ 现在七点半。

2

tián míng
田明

fāng yún
方云

fāng yún　nǐ měi tiān zǎo shang jǐ diǎn shàng xué
方云：你每天早上几点上学？

tián míng　wǎ zǎo shang qī diǎn bàn shàng xué
田明：我早上七点半上学。

fāng yún　nǐ zěn me shàng xué
方云：你怎么上学？

tián míng　wǒ zuò dì tiě shàng xué
田明：我坐地铁上学。

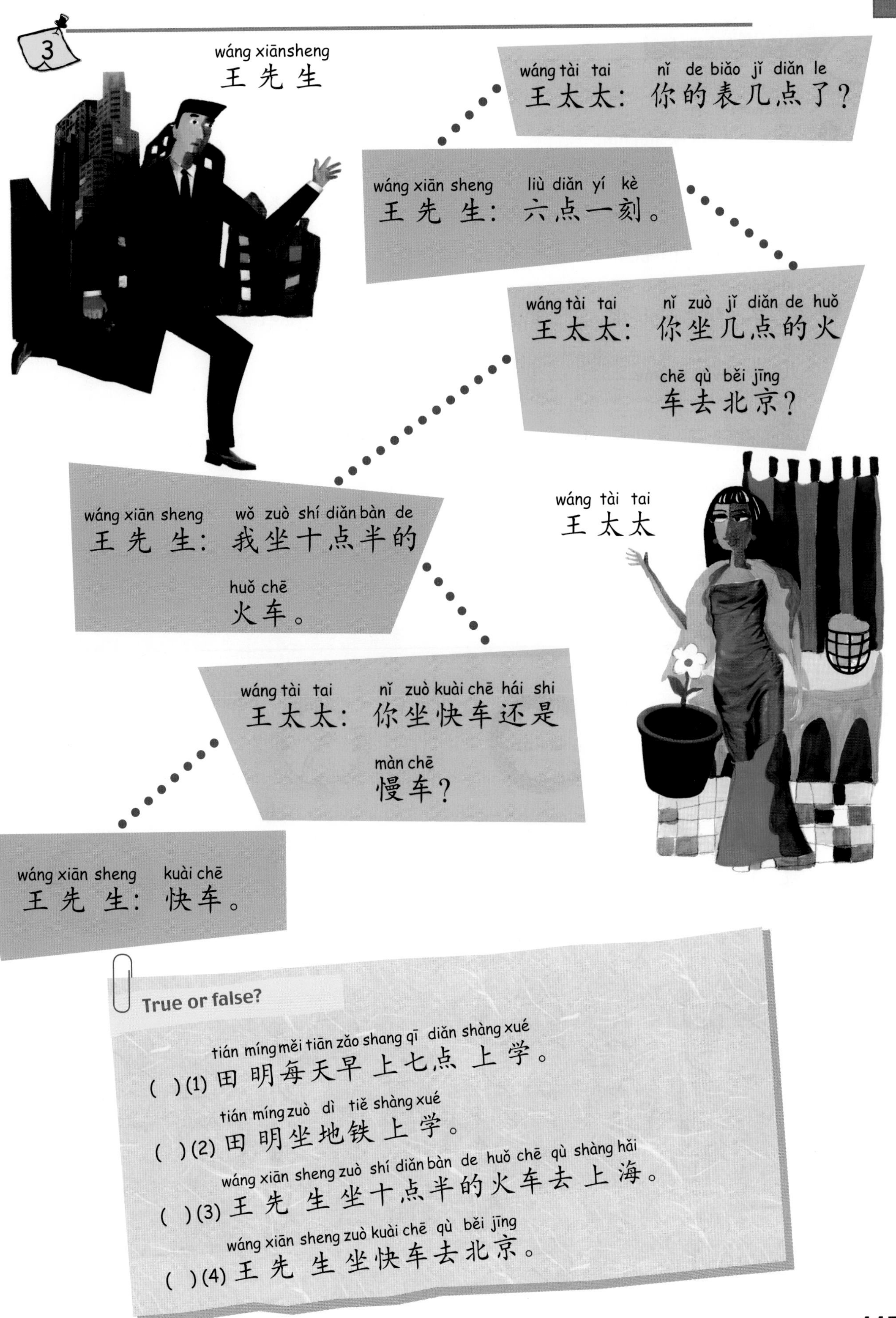

3

wáng xiānsheng
王先生

wáng tài tai　nǐ de biǎo jǐ diǎn le
王太太：你的表几点了？

wáng xiān sheng　liù diǎn yí kè
王先生：六点一刻。

wáng tài tai　nǐ zuò jǐ diǎn de huǒ chē qù běi jīng
王太太：你坐几点的火车去北京？

wáng xiān sheng　wǒ zuò shí diǎn bàn de huǒ chē
王先生：我坐十点半的火车。

wáng tài tai
王太太

wáng tài tai　nǐ zuò kuài chē hái shi màn chē
王太太：你坐快车还是慢车？

wáng xiān sheng　kuài chē
王先生：快车。

True or false?

tián míng měi tiān zǎo shang qī diǎn shàng xué
( ) (1) 田明每天早上七点上学。

tián míng zuò dì tiě shàng xué
( ) (2) 田明坐地铁上学。

wáng xiān sheng zuò shí diǎn bàn de huǒ chē qù shàng hǎi
( ) (3) 王先生坐十点半的火车去上海。

wáng xiān sheng zuò kuài chē qù běi jīng
( ) (4) 王先生坐快车去北京。

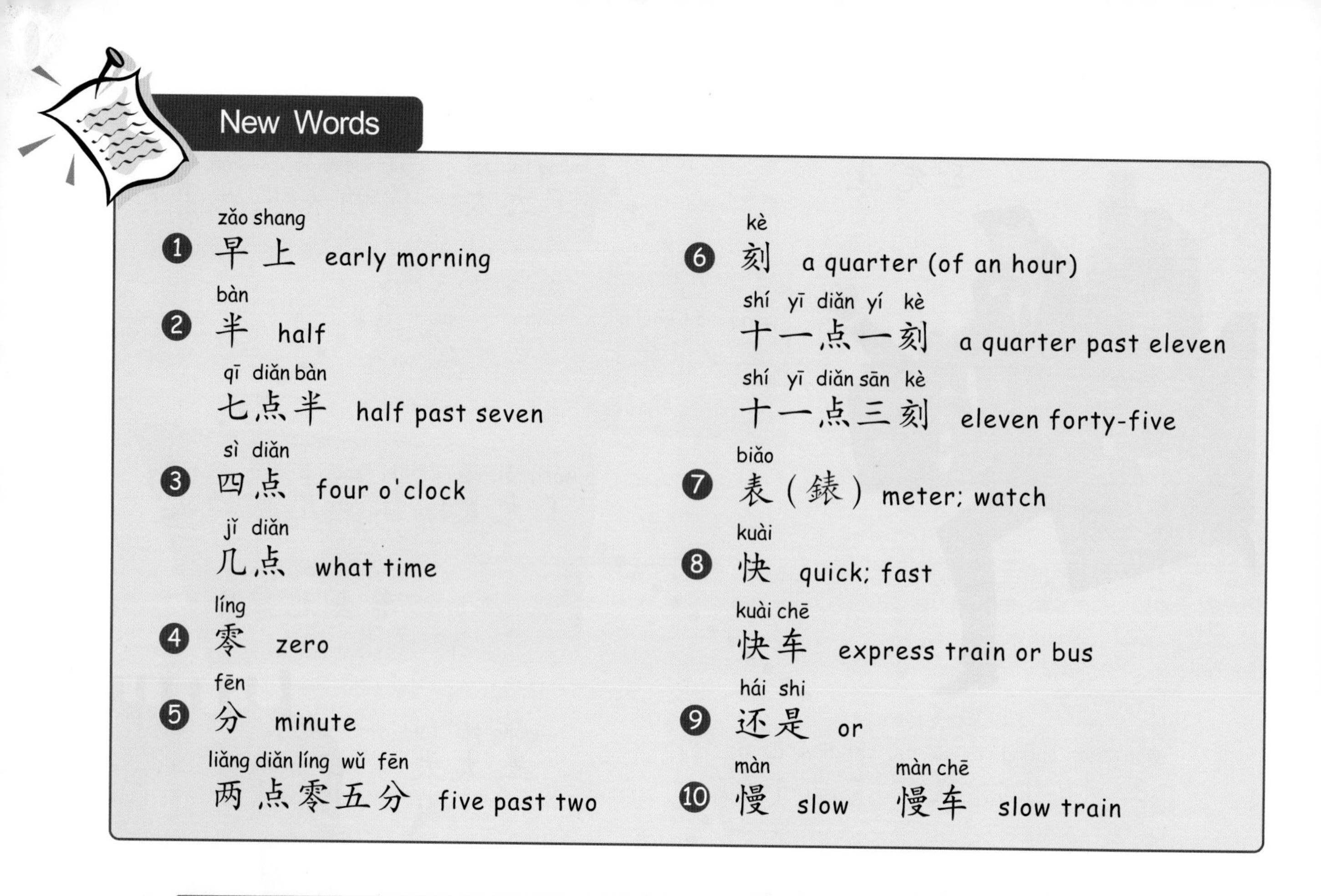

New Words

1. zǎo shang 早上 early morning
2. bàn 半 half
   qī diǎn bàn 七点半 half past seven
3. sì diǎn 四点 four o'clock
   jǐ diǎn 几点 what time
4. líng 零 zero
5. fēn 分 minute
   liǎng diǎn líng wǔ fēn 两点零五分 five past two
6. kè 刻 a quarter (of an hour)
   shí yī diǎn yí kè 十一点一刻 a quarter past eleven
   shí yī diǎn sān kè 十一点三刻 eleven forty-five
7. biǎo 表（錶） meter; watch
8. kuài 快 quick; fast
   kuài chē 快车 express train or bus
9. hái shi 还是 or
10. màn 慢 slow màn chē 慢车 slow train

1 Match the time with the clock.

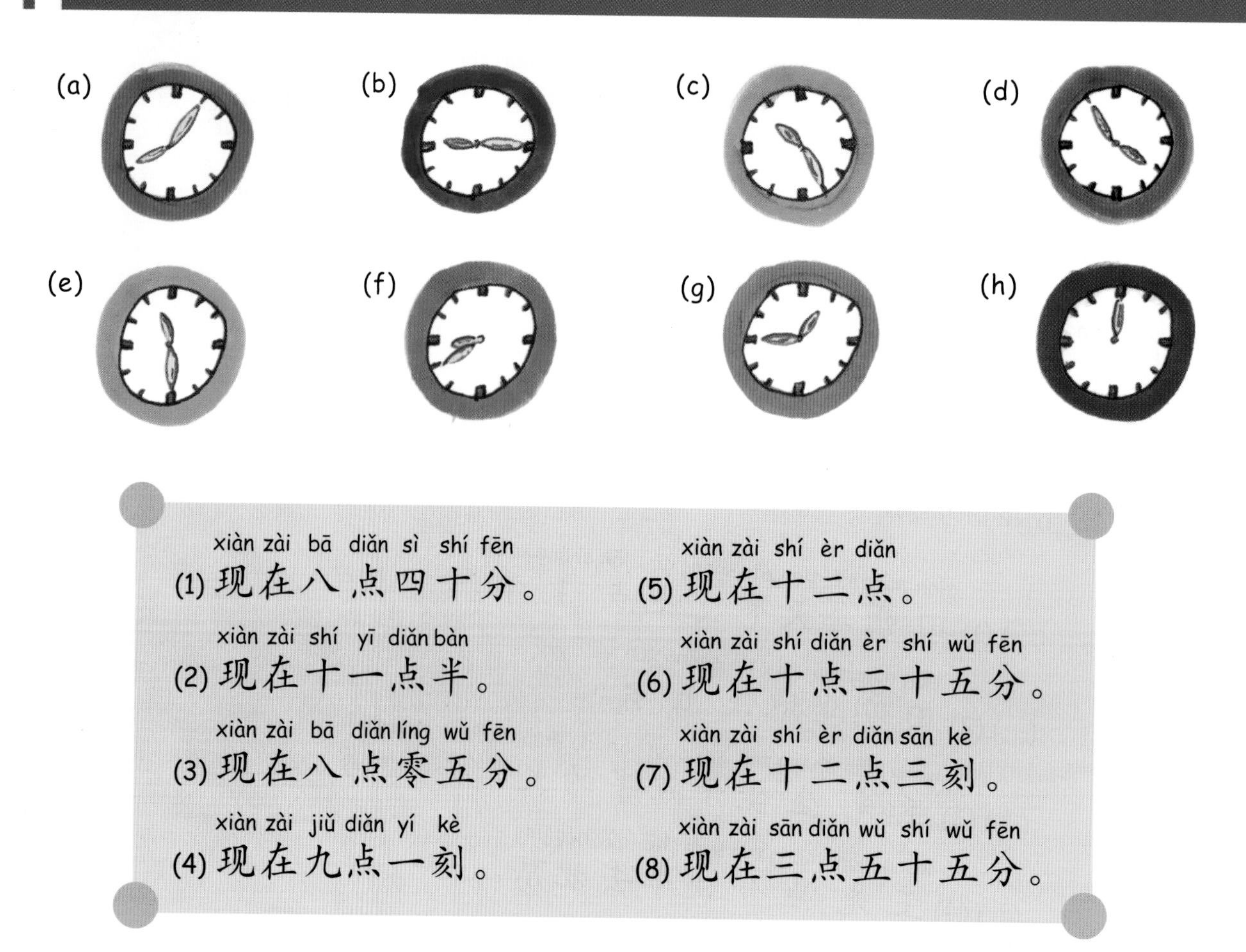

(1) xiàn zài bā diǎn sì shí fēn 现在八点四十分。

(2) xiàn zài shí yī diǎn bàn 现在十一点半。

(3) xiàn zài bā diǎn líng wǔ fēn 现在八点零五分。

(4) xiàn zài jiǔ diǎn yí kè 现在九点一刻。

(5) xiàn zài shí èr diǎn 现在十二点。

(6) xiàn zài shí diǎn èr shí wǔ fēn 现在十点二十五分。

(7) xiàn zài shí èr diǎn sān kè 现在十二点三刻。

(8) xiàn zài sān diǎn wǔ shí wǔ fēn 现在三点五十五分。

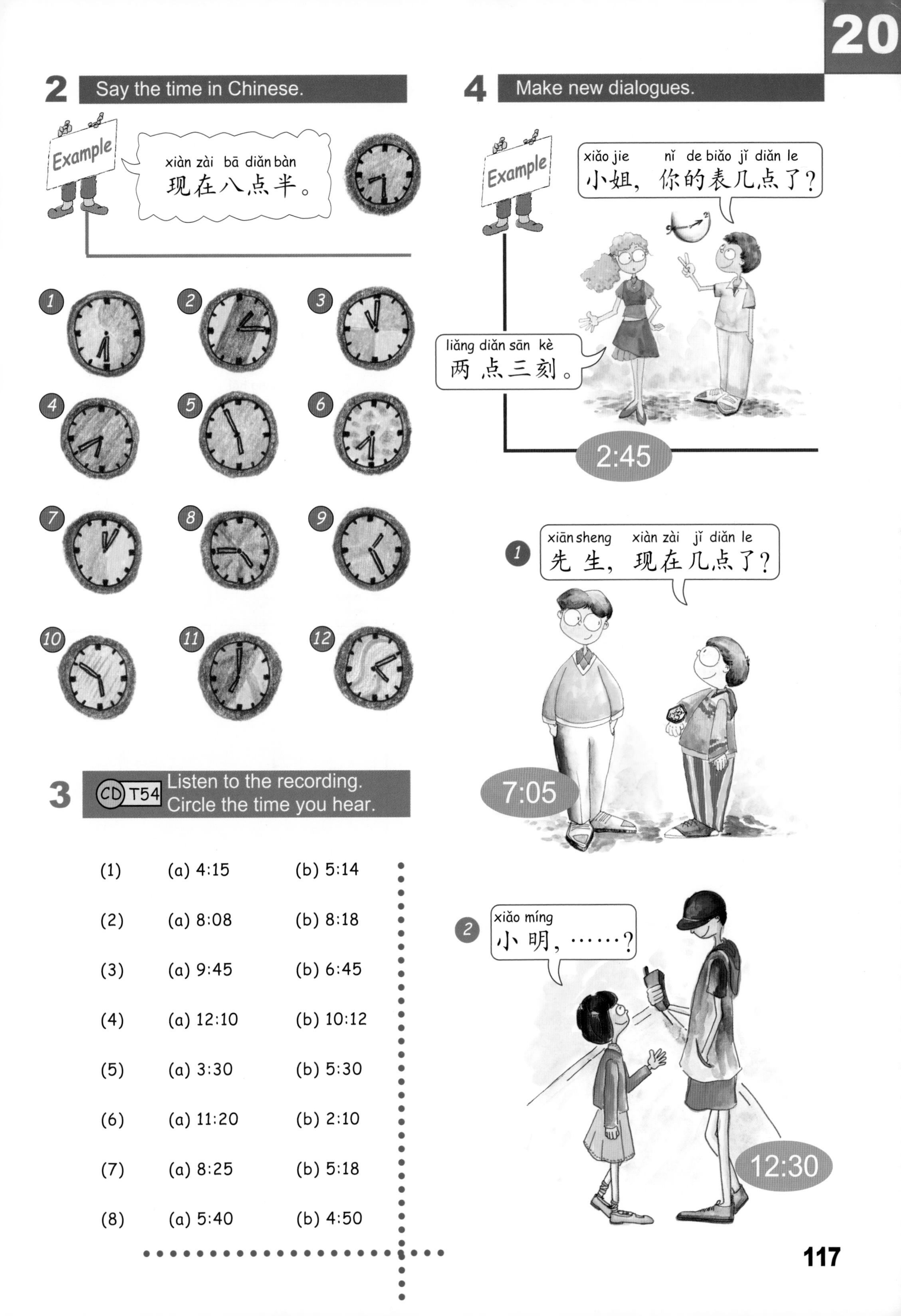

20
2 Say the time in Chinese.
Example
xiàn zài bā diǎn bàn
现在八点半。
1
2
3
4
5
6
7
8
9
10
11
12
3 CD T54 Listen to the recording. Circle the time you hear.
(1) (a) 4:15 (b) 5:14
(2) (a) 8:08 (b) 8:18
(3) (a) 9:45 (b) 6:45
(4) (a) 12:10 (b) 10:12
(5) (a) 3:30 (b) 5:30
(6) (a) 11:20 (b) 2:10
(7) (a) 8:25 (b) 5:18
(8) (a) 5:40 (b) 4:50
4 Make new dialogues.
Example
xiǎo jie nǐ de biǎo jǐ diǎn le
小姐，你的表几点了？
liǎng diǎn sān kè
两点三刻。
2:45
1
xiān sheng xiàn zài jǐ diǎn le
先生，现在几点了？
7:05
2
xiǎo míng
小明，……？
12:30

5 Finish the dialogues in Chinese.

nǐ zuò jǐ diǎn de huǒ chē qù nán jīng
(1) A: 你坐几点的火车去南京？(8:00)

B: ______________________

nǐ zuò jǐ diǎn de chuán qù shàng hǎi
(2) A: 你坐几点的船去上海？(5:30)

B: ______________________

nǐ zuò jǐ diǎn de qì chē qù shàng bān
(3) A: 你坐几点的汽车去上班？(9:10)

B: ______________________

nǐ zuò jǐ diǎn de huǒ chē qù běi jīng
(4) A: 你坐几点的火车去北京？(5:50)

B: ______________________

NOTE

bā diǎn de huǒ chē
八点的火车

the eight o'clock train

wǒ bà ba zuò jiǔ diǎn de fēi jī qù shàng hǎi
我爸爸坐九点的飞机去上海。

My father will take the nine o'clock flight to Shanghai.

6 Answer the questions in Chinese.

nǐ měi tiān jǐ diǎn shàng xué
(1) A: 你每天几点上学？ 7:10

B: ______________________

nǐ bà ba jǐ diǎn shàng bān
(2) A: 你爸爸几点上班？ 8:15

B: ______________________

nǐ mā ma jǐ diǎn xià bān
(3) A: 你妈妈几点下班？ 4:45

B: ______________________

lǐ xiān sheng jǐ diǎn qù gōng sī
(4) A: 李先生几点去公司？ 2:30

B: ______________________

nǐ gē ge jǐ diǎn shàng xué
(5) A: 你哥哥几点上学？ 7:50

B: ______________________

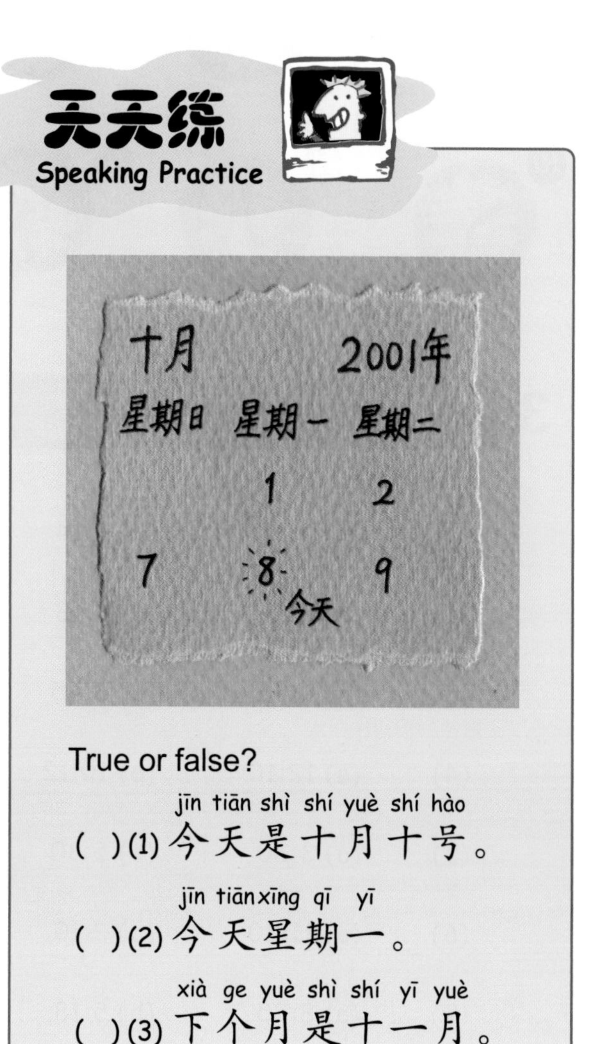

True or false?

jīn tiān shì shí yuè shí hào
( ) (1) 今天是十月十号。

jīn tiān xīng qī yī
( ) (2) 今天星期一。

xià ge yuè shì shí yī yuè
( ) (3) 下个月是十一月。

7 Answer the questions in Chinese.

Example

tā shì lǎo shī hái shi xué sheng
她是老师还是学生？

tā shì lǎo shī
她是老师。

NOTE

hái shi
"还是" or

tā shì yī shēng hái shi hù shi
她是医生还是护士？

Is she a doctor or a nurse?

(1) tā shì gōng rén hái shi gōng chéng shī
他是工人还是工程师？

(2) jīn tiān xīng qī sān hái shi xīng qī sì
今天星期三还是星期四？

(3) wáng xiān sheng kāi chē hái shi zuò chū zū chē shàng bān
王先生开车还是坐出租车上班？

(4) tā shì yá yī hái shi hù shi
她是牙医还是护士？

(5) xiǎo míng zuò xiào chē hái shi zuò gōng gòng qì chē shàng xué
小明坐校车还是坐公共汽车上学？

(6) wén wen, zhè shì nǐ gē ge hái shi nǐ dì di
文文，这是你哥哥还是你弟弟？

8 Read aloud.

iu ui

(1)	niú	shuí
(2)	qiú	tuī
(3)	liú	zuǐ
(4)	jiǔshí	chuīniú
(5)	xiùqiú	shuìjiào
(6)	xiūnǚ	kāishuǐ

识 字（十二） CD T55

chūn jié dào
春 节 到，
gěi hóng bāo
给 红 包，
xiǎo hái zi
小 孩 子，
kāi kǒu xiào
开 口 笑。

New Words

1. jié
   节（節） festival; knot; section
   chūn jié
   春节 the Chinese New Year
2. gěi
   给（給） give; for
3. hóng
   红（紅） red
4. bāo
   包 packet; bag hóng bāo 红包 red packet
5. hái
   孩 child hái zi 孩子 child; children
6. kāi kǒu
   开口 open one's mouth
7. xiào
   笑 smile; laugh

第二十一课　汽车比自行车快

CD T56

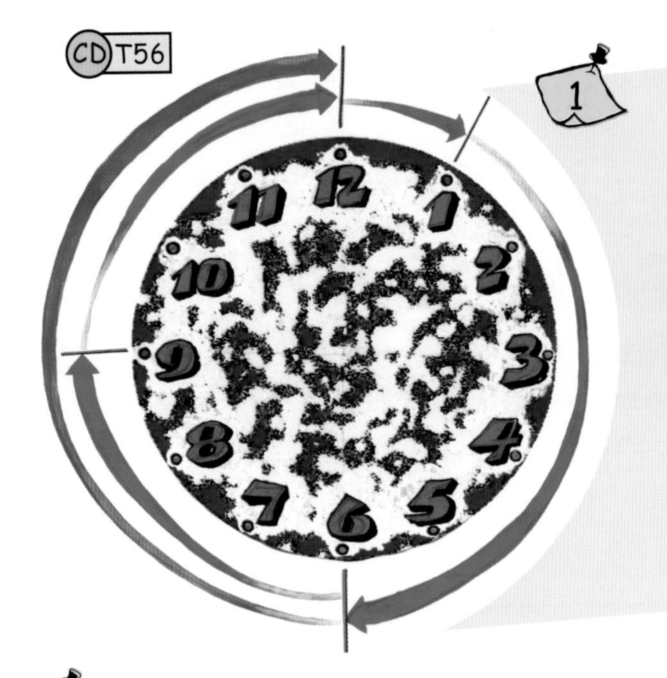

1

zǎo shang
早上：6:00-9:00

shàng wǔ
上午：9:00-12:00

zhōng wǔ
中午：12:00-13:00

xià wǔ
下午：13:00-18:00

wǎn shang
晚上：18:00-24:00

2

dōng dong měi tiān zǎo shang liù diǎn chī
冬冬每天早上六点吃

zǎo fàn qī diǎn zuò xiào chē shàng xué zhōng
早饭，七点坐校车上学。中

wǔ zài xué xiào chī wǔ fàn xià wǔ sān diǎn
午在学校吃午饭。下午三点

shí fēn fàng xué huí jiā tā bà ba mā
十分放学回家。他爸爸、妈

ma liù diǎn yí kè xià bān tā men quán jiā
妈六点一刻下班。他们全家

wǎn shang qī diǎn chī wǎn fàn tā xǐ huan
晚上七点吃晚饭。他喜欢

qí mǎ hé kàn shū
骑马和看书。

3

qì chē bǐ zì xíng chē kuài
汽车比自行车快。

huǒ chē bǐ qì chē gèng kuài
火车比汽车更快。

fēi jī zuì kuài le
飞机最快了。

True or false?

( ) (1) dōngdong zǎoshang bù chī zǎo fàn
冬冬早上不吃早饭。

( ) (2) dōngdong zài jiā chī wǔ fàn
冬冬在家吃午饭。

( ) (3) dōngdong xià wǔ sān diǎn shí fēn fàngxué
冬冬下午三点十分放学。

( ) (4) dōngdong xǐ huan qí zì xíng chē
冬冬喜欢骑自行车。

( ) (5) zì xíng chē bǐ qì chē kuài
自行车比汽车快。

( ) (6) huǒ chē bǐ fēi jī kuài
火车比飞机快。

New Words

1. bǐ 比 compare
2. wǔ 午 noon
   shàng wǔ 上午 morning
   zhōng wǔ 中午 noon
   xià wǔ 下午 afternoon
3. wǎn 晚 evening; late
   wǎn shang 晚上 evening
4. chī 吃 eat
   chī fàn 吃饭 eat; have a meal
   chī zǎo fàn 吃早饭 eat breakfast
   chī wǔ / zhōng fàn 吃午/中饭 eat lunch
   chī wǎn fàn 吃晚饭 eat dinner
5. fàng 放 let go
   fàng xué 放学 finish school
6. huí 回 return
   huí jiā 回家 go home
7. xià bān 下班 go off work
8. quán jiā 全家 the whole family
9. kàn 看 see; look; watch
   kàn shū 看书 read a book
10. gèng 更 even more
    gèngkuài 更快 faster
11. zuì 最 most
    zuì kuài 最快 the fastest

1 Match the time with the clock.

- 早上 / 上午 / 中午
- 下午
- 晚上

(a) (b) (c) (d) (e) (f) (g) (h) (i) (j)

(1) 早上八点 zǎo shang bā diǎn
(2) 上午十一点 shàng wǔ shí yī diǎn
(3) 中午十二点 zhōng wǔ shí èr diǎn
(4) 下午三点 xià wǔ sān diǎn
(5) 晚上八点 wǎn shang bā diǎn
(6) 下午两点 xià wǔ liǎng diǎn
(7) 晚上十一点 wǎn shang shí yī diǎn
(8) 下午四点 xià wǔ sì diǎn
(9) 早上七点 zǎo shang qī diǎn
(10) 晚上七点 wǎn shang qī diǎn

2 Circle the correct pinyin.

(1) 下 (a) xià (b) shià
(2) 看 (a) kàn (b) kàng
(3) 更 (a) gèn (b) gèng
(4) 最 (a) zhuì (b) zuì
(5) 吃 (a) chē (b) chī
(6) 回 (a) huí (b) hiú
(7) 放 (a) fàng (b) fàn
(8) 晚 (a) wǎng (b) wǎn
(9) 午 (a) wǔ (b) hǔ
(10) 比 (a) bǐ (b) bě
(11) 点 (a) diǎng (b) diǎn
(12) 快 (a) kuài (b) kuì

3 Read aloud.

(1) 早上 zǎoshang 上午 shàngwǔ 中午 zhōngwǔ 下午 xiàwǔ 晚上 wǎnshang
(2) 上个月 shàng ge yuè 这个月 zhè ge yuè 下个月 xià ge yuè
(3) 上个星期 shàng ge xīngqī 这个星期 zhè ge xīngqī 下个星期 xià ge xīngqī
(4) 昨天 zuótiān 今天 jīntiān 明天 míngtiān 后天 hòutiān
(5) 去年 qùnián 今年 jīnnián 明年 míngnián 后年 hòunián

4 Say the time in Chinese.

5 CD T57 Listen to the recording. Write down the departure time.

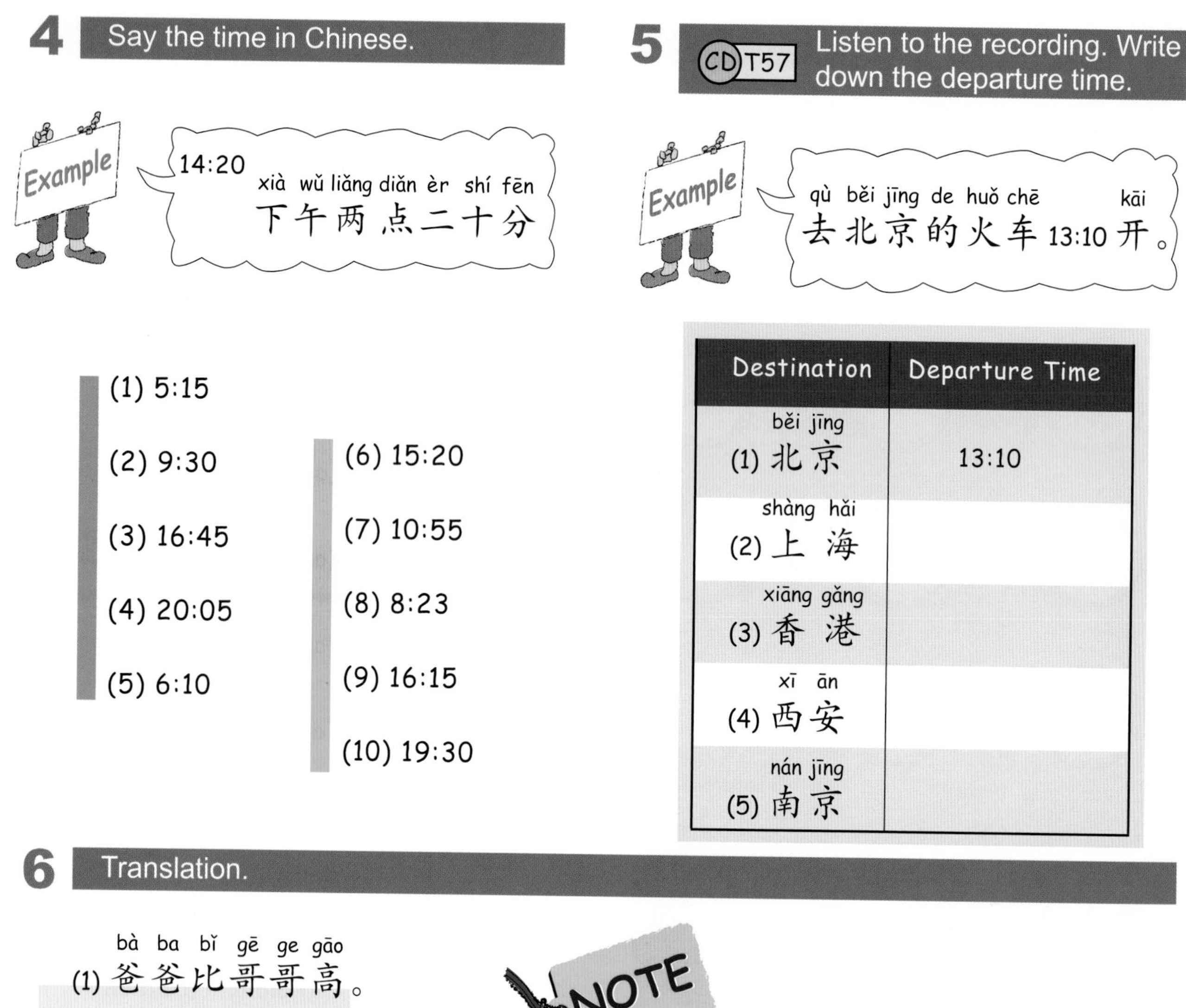

(1) 5:15
(2) 9:30
(3) 16:45
(4) 20:05
(5) 6:10
(6) 15:20
(7) 10:55
(8) 8:23
(9) 16:15
(10) 19:30

Destination	Departure Time
běi jīng (1) 北京	13:10
shàng hǎi (2) 上海	
xiāng gǎng (3) 香港	
xī ān (4) 西安	
nán jīng (5) 南京	

6 Translation.

bà ba bǐ gē ge gāo
(1) 爸爸比哥哥高。

wǒ de xué xiào bǐ tā de xué xiào dà
(2) 我的学校比他的学校大。

dì tiě bǐ chuán kuài
(3) 地铁比船快。

diàn chē bǐ qì chē màn
(4) 电车比汽车慢。

zhōng guó bǐ rì běn dà
(5) 中国比日本大。

tā de biǎo bǐ wǒ de biǎo hǎo kàn
(6) 她的表比我的表好看。

NOTE

bǐ
"比" is used to compare two noun phrases or verb phrases.

tā bǐ wǒ gāo
(a) 他比我高。He is taller than me.

tā de tóu fa bǐ wǒ de tóu fa cháng
(b) 她的头发比我的(头发)长。
Her hair is longer than mine.

zhè ge xué xiào bǐ nà ge xué xiào dà
(c) 这个学校比那个学校大。
This school is bigger than that school.

qí chē bǐ zǒu lù kuài
(d) 骑车比走路快。
Cycling is faster than walking.

7 Make two more groups of comparative sentences.

8 Make new dialogues.

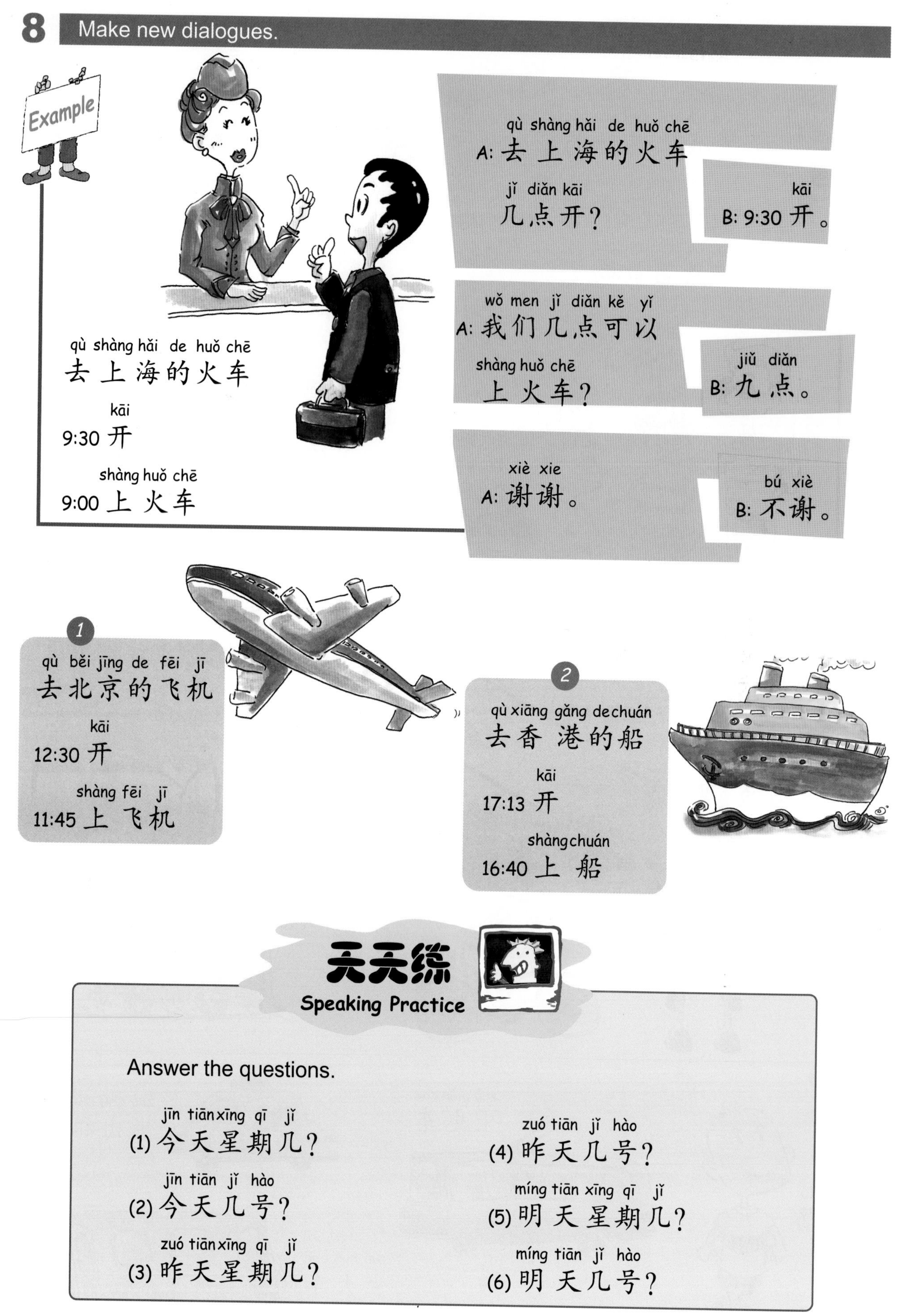

Example

qù shàng hǎi de huǒ chē
去上海的火车
kāi
9:30 开
shàng huǒ chē
9:00 上火车

qù shàng hǎi de huǒ chē jǐ diǎn kāi
A: 去上海的火车几点开?

kāi
B: 9:30 开。

wǒ men jǐ diǎn kě yǐ shàng huǒ chē
A: 我们几点可以上火车?

jiǔ diǎn
B: 九点。

xiè xie
A: 谢谢。

bú xiè
B: 不谢。

1

qù běi jīng de fēi jī
去北京的飞机
kāi
12:30 开
shàng fēi jī
11:45 上飞机

2

qù xiāng gǎng de chuán
去香港的船
kāi
17:13 开
shàng chuán
16:40 上船

天天练
Speaking Practice

Answer the questions.

jīn tiān xīng qī jǐ
(1) 今天星期几?

jīn tiān jǐ hào
(2) 今天几号?

zuó tiān xīng qī jǐ
(3) 昨天星期几?

zuó tiān jǐ hào
(4) 昨天几号?

míng tiān xīng qī jǐ
(5) 明天星期几?

míng tiān jǐ hào
(6) 明天几号?

9 Answer the questions according to the pictures.

Example

tā shì xué sheng
他是学生。

tā shì xué sheng hái shi lǎo shī
他是学生还是老师？

1 tā shì mì shū hái shi hù shi
她是秘书还是护士？

2 fēi jī kuài hái shi chuán kuài
飞机快还是船快？

3 tā shì lǜ shī hái shi yá yī
她是律师还是牙医？

4 tā shì rì běn rén hái shi zhōng guó rén
她是日本人还是中国人？

10 Answer the following questions.

(1) nǐ jīn nián duō dà le
你今年多大了？

(2) nǐ jīn nián shàng jǐ nián jí
你今年上几年级？

(3) nǐ chū shēng zài nǎr
你出生在哪儿？

(4) nǐ zài nǎr zhǎng dà
你在哪儿长大？

(5) nǐ měi tiān zǎo shang jǐ diǎn shàng xué
你每天早上几点上学？

(6) nǐ zěn me shàng xué
你怎么上学？

(7) nǐ de biǎo xiàn zài jǐ diǎn le
你的表现在几点了？

(8) nǐ huì qí zì xíng chē ma
你会骑自行车吗？

(9) nǐ huì huà zhōng guó huà ma
你会画中国画吗？

(10) nǐ huì xiě máo bǐ zì ma
你会写毛笔字吗？

11 True or false?

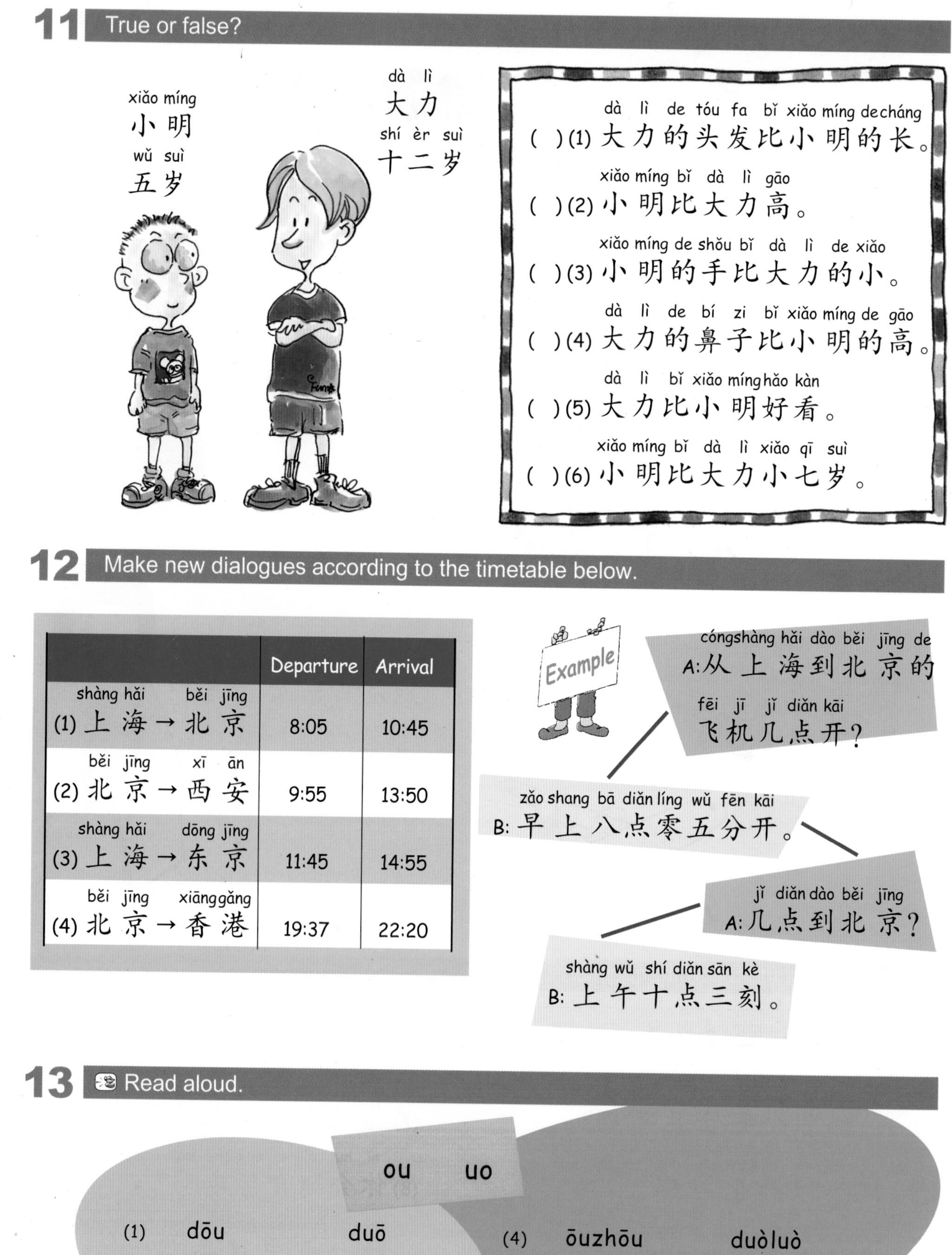

dà lì de tóu fa bǐ xiǎo míng de cháng
( ) (1) 大力的头发比小明的长。

xiǎo míng bǐ dà lì gāo
( ) (2) 小明比大力高。

xiǎo míng de shǒu bǐ dà lì de xiǎo
( ) (3) 小明的手比大力的小。

dà lì de bí zi bǐ xiǎo míng de gāo
( ) (4) 大力的鼻子比小明的高。

dà lì bǐ xiǎo míng hǎo kàn
( ) (5) 大力比小明好看。

xiǎo míng bǐ dà lì xiǎo qī suì
( ) (6) 小明比大力小七岁。

12 Make new dialogues according to the timetable below.

	Departure	Arrival
shàng hǎi běi jīng (1) 上海 → 北京	8:05	10:45
běi jīng xī ān (2) 北京 → 西安	9:55	13:50
shàng hǎi dōng jīng (3) 上海 → 东京	11:45	14:55
běi jīng xiāng gǎng (4) 北京 → 香港	19:37	22:20

Example

cóng shàng hǎi dào běi jīng de fēi jī jǐ diǎn kāi
A: 从上海到北京的飞机几点开？

zǎo shang bā diǎn líng wǔ fēn kāi
B: 早上八点零五分开。

jǐ diǎn dào běi jīng
A: 几点到北京？

shàng wǔ shí diǎn sān kè
B: 上午十点三刻。

13 Read aloud.

ou uo

(1)	dōu	duō	(4)	ōuzhōu	duòluò
(2)	gòu	guò	(5)	gòuwù	guójiā
(3)	zhōu	zhuō	(6)	dòufu	bāokuò